novum pro

Lena Vivien

Im Fokus der Geheimdienste

novum pro

www.novumverlag.com

Bibliografische Information
der Deutschen Nationalbibliothek:

Die Deutsche Nationalbibliothek
verzeichnet diese Publikation in
der Deutschen Nationalbibliografie.
Detaillierte bibliografische Daten
sind im Internet über
http://www.d-nb.de abrufbar.

ISBN 978-3-99064-552-9
Lektorat: Silvia Zwettler
Umschlagfoto:
Berean | Dreamstime.com
Umschlaggestaltung, Layout & Satz:
novum Verlag

Gedruckt in der Europäischen Union
auf umweltfreundlichem, chlor- und
säurefrei gebleichtem Papier.

www.novumverlag.com

Vorwort

Zu Beginn der 90er-Jahre ließ ich mich durch das Außendepartement von Stockholm nach Ankara versetzen. Als ich die Stelle – ich war die Sekretärin des Militärattachés – bereits angenommen hatte, brach der zweite Golfkrieg aus. Wäre der Krieg ein paar Monate früher ausgebrochen, hätte ich mich bestimmt nicht nach Ankara versetzen lassen. Es wurde von mir erwartet, dass ich mindestens zwei Jahre blieb. Weder ich selber noch die Vorgesetzten in der Personalabteilung konnten erahnen, welche Turbulenzen meine Versetzung an just jene Stelle verursachen würde.

Ein paar Jahre zuvor hatte ich mich vom Außendepartement anstellen lassen, weil ich etwas von der Welt sehen wollte. Ich fand nichts langweiliger, als ein 08/15-Leben zu führen: Bald nach der Lehre heiraten – einen möglichst gut verdienenden oder reichen Mann (!) –, zwei Kinder gebären und fortan Hausfrau und Mutter sein und immer am selben Ort leben. Ich wollte später einmal sagen können, dass mein Leben reich war – reich an Erlebtem!

Nachdem ich drei Jahre in Stockholm verbracht hatte, war ich bereit in ein anderes Land zu wechseln. Von Stockholm nach Ankara zu ziehen, das war *der* Kulturschock! Von schwedischen Freunden war ich vor der Türkei gewarnt worden. Es gäbe dort nur Bauern. Trotzdem freute ich mich auf die Versetzung.

Als ich die Sekretariatsstelle in Ankara antrat, warnte mich der Militärattaché vor den türkischen Männern. „Sie stehen auf weißhäutige Frauen. Passen Sie auf sich auf!" Dass sich ausgerechnet sein Fahrer in mich verlieben und um mich werben würde, damit rechnete der Oberst wohl nicht. Sonst hätte er ihn nicht beauftragt, mir bei der Wohnungseinrichtung zu helfen und mich während seiner Abwesenheit zum Essen auszuführen.

Der Fahrer hatte sich auf den ersten Blick in mich verliebt. Daran änderte sich auch nichts, als ich ihm gegenüber abweisend war. Aus Einsamkeit und Angst vor einem Raketenangriff aus dem Irak begann ich irgendwann doch seine Einladungen anzunehmen.

Als er anbot, mir während der Feiertage zum Opferfest einen Teil seines Landes zu zeigen, sagte ich zu. Ich hatte die Wahl, eine Woche alleine zu verbringen oder mit ihm zu verreisen. Auf dieser Reise wurden wir von einem Diplomaten unserer Botschaft gesehen, wie wir Hand in Hand spazierten. Nun war es nur noch eine Frage der Zeit, bis die Bombe platzte. Er war der lokale Fahrer, ich die Sekretärin des Militärattachés! Es gab böse Zungen in der Botschaft, die ihm unterstellten, er sei Mitglied des türkischen Geheimdienstes MIT. Als unsere Beziehung ans Licht kam, wurde ich gewarnt, er mache sich an mich heran, um an Informationen über unser Land zu kommen.

I.

Abschied von Stockholm

Es war an einem Sommertag im Jahre 1990. Vor Freude strahlend lief ich durch die Straßen von Stockholm. Ich strahlte so sehr, dass sich Fremde nach mir umdrehten. Eben war mir eine Sekretariatsstelle in der Botschaft in Ankara zugesichert worden. Vom drohenden Golfkrieg wusste ich da noch nichts. Zwei Monate verblieben mir noch bis zum Umzug. Einen Reiseführer hatte ich bereits studiert. Ich nahm mir vor die türkische Sprache zu lernen. Das konnte aber warten, bis ich im Land war. Bestimmt würde ich sofort mit Botschaftsleuten Kontakt haben, sowohl mit solchen des eigenen Landes wie auch mit solchen aus anderen Ländern. So war es mir jedenfalls in Schweden ergangen, obwohl ich hier auch mit Einheimischen Kontakt pflegte. Meine schwedischen Freunde und Bekannten teilten meine Begeisterung für die Türkei überhaupt nicht. Ich bekam allerlei Kommentare zu hören, wie „Dort gibt es doch nur Bauern", „Sie sind ungebildet", „Als Frau wirst du belästigt". Ich hatte den Eindruck, einige meiner schwedischen Freunde und Bekannten waren beinahe gekränkt, dass ich Schweden den Rücken kehrte. Zugegeben: Bevor mir die Stelle in Ankara angeboten wurde, hatte ich mich nicht für die Türkei interessiert. Weshalb freute ich mich so sehr, nach Ankara versetzt zu werden? Konnte ich ahnen, dass dieses Land zu meiner zweiten Heimat werden würde? Nennt man das Schicksal?

Seit drei Jahren wohnte ich in Stockholm. Während dieser Zeit hatte ich mit Einheimischen und mit Botschaftsangestellten anderer Länder Freundschaften geschlossen. Ich hatte jede Minute genossen. Trotzdem fühlte ich mich im Frühjahr 1990 ein wenig traurig. Von meinen zwei guten Freunden Sven und Matthew sah ich nicht mehr viel. Ich vermisste sie, hatte aber damit rechnen müssen, sie eines Tages zu verlieren. Beide fühlten mehr für mich als Freundschaft, mussten aber akzeptieren, dass von meiner Seite nur freundschaftliche Gefühle kamen.

Den Schweden Sven – der ein paar Jahre jünger war als ich – hatte ich durch die Schwedin Anja kennengelernt, welche wiederum mich und Andrea, eine deutsche Bekannte – ebenfalls Botschafts-angestellte, in einem Stockholmer Café angesprochen hatte. Seither pflegten wir regen Kontakt. Sven sah aus, wie man sich einen typischen Schweden vorstellt, mit hellblondem Haar und hellblauen Augen.

Der braunhaarige und braunäugige Matthew war Engländer und bei der britischen Botschaft angestellt. Ihn lernte ich durch andere britische Botschaftsangestellte kennen. Er war Mitte zwanzig und frisch geschieden. Bevor er nach Stockholm kam, war er in Bagdad stationiert gewesen. Ich erinnere mich, wie wir einmal zusammen im Djurgarden am Wasser saßen und über die Zukunft sprachen. Er meinte, er werde seinen Großkindern hoffentlich viel zu erzählen haben von seinen Einsätzen in fremden Ländern. Ich wiederum sprach über meine Pläne, ein Buch über das Leben mit den Diplomaten zu schreiben. Matthew pflegte zu sagen: „Lena, du bist eine starke Frau.“ Ich fragte mich, wie er das meinte. Ich sah mich als sensibel und verletzlich an. Was war stark daran?

Ich war siebenundzwanzig, als ich nach Stockholm kam, und hatte noch keine Liebesbeziehung gehabt. Warum verliebte ich mich auch immer in wesentlich ältere Männer, die bereits vergeben waren? Solche Schwärmereien – und dabei blieb es jedes Mal – hatte ich bereits etliche hinter mir. Sven und Matthew lernten sich durch mich kennen und wurden Freunde. Wer weiß, vielleicht sind sie es heute noch. Sven verschwand aus meinem Leben, als ihn seine Exfreundin zu sich zurückholte. Sie war Deutsche und vor ein paar Jahren mit Sven liiert gewesen, bevor sie nach Deutschland zurückgekehrt war. Er ließ sich erneut auf sie ein. Er war ein junger Mann und konnte nicht ewig von platonischer Liebe leben. Matthew bandelte mit einer Schwedin an. Ich würde zu gerne wissen, was daraus geworden ist. Wen hat er geheiratet? Wie viele Kinder hat er, wie viele Großkinder?

Ziemlich genau drei Jahre, nachdem ich den Posten in Schweden angetreten hatte, verließ ich Stockholm. Mein Hab und Gut war verpackt und vorerst bei einer Speditionsfirma eingelagert. Bevor ich nach Ankara reiste, machte ich eine Woche Heimaturlaub. Daniela, eine Kollegin, die selber ein paar Jahre in der Botschaft in Ankara gearbeitet hatte, gab mir Tipps für das Leben in Ankara. Es hörte sich alles fremd und spannend an. Ich begann mir aber auch Sorgen zu machen, wie ich in Ankara ohne Führerschein den Alltag bewältigen würde. Ich interessierte mich überhaupt nicht für Automobile und hatte zudem eine Phobie vor dem Straßenverkehr. Ob es davon herrührte, dass ich als kleines Mädchen auf einem Fußgängerstreifen von einem Fahrzeug angefahren worden war? In Stockholm war der fehlende Führerschein überhaupt kein Problem. Das Netz der öffentlichen Verkehrsmittel war in Stockholm und den Vororten sehr gut ausgebaut. Zudem hatte ich in Gehdistanz zur Botschaft gewohnt.

2.

Versetzung nach Ankara

Ich reiste an einem Wochentag anfangs September nach Ankara. Gerne wäre ich bereits am Wochenende gereist, da ich es vorzog, ausgeruht am Arbeitsplatz zu erscheinen. Daraus wurde nichts. Ich sollte nämlich direkt vom Flughafen Ankara zum Abschiedsfest meiner Vorgängerin gefahren werden und mich am nächsten Tag selbstverständlich um acht Uhr in der Botschaft melden. Mein zukünftiger Chef, der Militärattaché Oberst Meyer, hatte ein Foto von mir erhalten. Das zeigte er seinem Fahrer, der den Auftrag erhalten hatte, mich – zusammen mit der Kurierpost aus der Zentrale – vom Flughafen abzuholen.

Nach Gepäckausgabe und Passkontrolle begab ich mich zum Ausgang. Schon kam ein kleiner drahtiger Mann – schätzungsweise gegen Ende vierzig – mit schnellen Schritten auf mich zu und riss mir den Koffer beinahe aus der Hand. „Hello, my name is Selim", stellte er sich vor. Er wartete gar nicht erst auf meine Antwort. „I am the driver of Mr. Meyer. I shall bring you to Claire-Lise's party and later to your hotel." Mit energischen Schritten ging er voran zum Wagen von Oberst Meyer – nein, kein Mercedes, ein Volvo. Ich nahm auf dem Rücksitz Platz, während Selim den Koffer verstaute und sich hinter das Steuer setzte.

Eine gute halbe Stunde waren wir unterwegs, als Selim den Wagen vor einem mehrstöckigen Wohnhaus abstellte. Einige Gäste waren bereits eingetroffen. Claire-Lise nahm Selim gleich in Beschlag. Sie brauchte seine Hilfe bei der Bewirtung der Gäste. Da kam ein groß gewachsener kräftiger Mann um die sechzig strahlend wie ein Maikäfer auf mich zu. Er stellte sich vor als

Oberst Meyer und fragte mich, ob ich eine gute Reise gehabt hätte. Zudem ließ er mich wissen, dass sein Fahrer mich später zum Hotel bringen würde. Ich müsse nur sagen, wenn ich müde sei und gehen möchte.

Am liebsten wäre ich natürlich gleich zum Hotel gefahren worden. Aber Claire-Lise brauchte Selims Hilfe beim Bewirten der Gäste. Zudem hätte sie es mir sicher übel genommen, wenn ich mich von ihrem Abschiedsfest abgemeldet hätte, kaum dass es begonnen hatte. Es sollte die erste Gelegenheit für mich sein, am neuen Ort Leute kennenzulernen. So saß ich alleine auf einer Truhe. Ab und zu kam jemand vorbei und stellte sich vor. Es war unmöglich, sich gleich alle Namen zu merken. Ich spürte Blicke auf mir. Oberst Meyer musterte mich. Er konnte seinen Blick kaum von meinen Beinen abwenden, während er genüsslich an seiner Pfeife zog. Ich trug einen Rock, der knapp über meine Knie reichte. Für meine wohlgeformten Beine hatte ich schon öfters Komplimente bekommen. Nicht nur Oberst Meyer ließ seine Blicke immer wieder zu mir schweifen. Auch sein Fahrer schaute mich verzückt an – sobald er eine Pause hatte. Irgendwann wurde ich erlöst. Oberst Meyer wies Selim an, mich zum Hotel zu fahren, danach zurückzukommen, um ihn nach Hause zu fahren. Die Frau des Obersten konnte ich bei dieser Gelegenheit nicht kennenlernen, weil sie auf Heimaturlaub war.

Der Chef der Konsularabteilung – Eduard Schuler – hatte in Absprache mit Oberst Meyer für mich ein Zimmer in einem 3-Sterne-Hotel gebucht, in welchem bisher noch nie jemand von der Botschaft einquartiert worden war. Am nächsten Morgen beim Frühstück – es fand nicht in Buffetform statt – wurde ich von den Kellnern scheinbar demonstrativ übersehen. Vielleicht warteten sie auf einen Begleiter. Im ganzen Frühstücksraum war keine zweite Frau zu sehen. Ich hatte aber nicht ewig Zeit. Ich musste zur Arbeit.

Ich war vom Einsatz in Stockholm an eine Belegschaft gewohnt, die sich mehrheitlich sehr gut verstand. Ich pflegte mit den Arbeitskolleginnen dort ein kameradschaftliches Verhältnis. Erst jetzt am neuen Ort wurde mir bewusst, dass das gute kameradschaftliche Verhältnis nicht selbstverständlich war. In der Botschaft in Ankara herrschte zu jenem Zeitpunkt Aufbruchsstimmung. Einige Mitarbeiter waren kurz vor der Versetzung. Die Sekretärin des Botschafters war nur temporär nach Ankara gekommen, weil die für diesen Posten vorgesehene junge Frau erst in einigen Wochen ihren gegenwärtigen Posten verlassen konnte. Dass die Räumlichkeiten des Militärattachés in einem anderen Gebäude ca. 300 m entfernt untergebracht waren, erleichterte das Einleben nicht. Nicht genug damit, hatte der Militärattaché just für diesen Zeitpunkt Heimaturlaub geplant. Nachdem ich mich zwei Wochen lang eingearbeitet hatte, verreiste er für ein paar Wochen und ich musste die Stellung halten.

Es wurde Wochenende. Ich nahm am Treffen der Hash House Harriers[1] teil. Das war eine positive Erfahrung. Ich war sicher, schnell Kontakte zu knüpfen. Singles verschiedener Nationalitäten nahmen an den Anlässen von Hash House Harriers teil. Dort traf ich auf Frank oder – besser gesagt – er auf mich. Frank war Anfang fünfzig, verheiratet und aus Großbritannien. Er arbeitete für eine internationale Firma in Ankara. Seine Frau war in Großbritannien geblieben. Frank schlug mir vor, ab und zu abends zusammen etwas zu unternehmen. Ja, warum nicht? Was Frank vorschwebte, war eine Beziehung. Ich fühlte mich jedoch überhaupt nicht zu ihm hingezogen.

Ich wollte so schnell wie möglich eine Wohnung finden. Esra – eine Lokalangestellte, die Telefonzentrale und Empfang bediente – vermittelte mir einen Makler. Mit ihm schaute ich mir Wohnung um Wohnung an. Ich wollte schnellstmöglich aus dem Hotel auschecken. Aber die Wohnungen, die mir gezeigt wurden, waren – für meine Verhältnisse – alle riesengroß. Was sollte ich alleine in einer Wohnung machen, die mindestens dreimal so groß war wie meine bisherige in Stockholm. Dort bewohnte ich eine 2½-Zimmerwohnung. Ich sagte dem Makler,

---

1 Die Hash House Harriers sind eine internationale Vereinigung nicht kompetitiver Lauf-, Sozial- und Trink-Clubs (WIKIPEDIA)

die Wohnungen seien einfach zu groß. Das konnte er zwar nicht verstehen, da er wusste, dass ich einen Zuschuss zu den Mietkosten erhalten würde, zeigte mir aber schließlich eine Wohnung, die nicht ganz so groß war. Diese Wohnung hatte Charme. Das Wohnzimmer war durch einen Kamin zweigeteilt in Wohn- und Esszimmer. Auf beiden Seiten hatte es Fensterfronten und kleine Balkone. Die Küche war klein, aber hell. Es gab eine Gästetoilette, ein Badezimmer und drei helle Schlafzimmer, ein größeres und zwei kleinere. Das war immer noch viel für eine einzige Person. In diese Wohnung verliebte ich mich gleich. Ich machte mir keine Gedanken darüber, dass die Wohnung direkt unter dem Flachdach lag. Es war September und weder besonders heiß noch kalt. Deshalb war mir nicht bewusst, dass es in dieser Wohnung im Sommer brütend heiß und im Winter eisig kalt sein würde.

Eduard Schuler, der Chef der Konsularabteilung, bemerkte etwas ironisch, dass bei mir die Wohnungssuche etwas lange gedauert habe, weil ich anscheinend eine Wohnung mit Dachterrasse suchte. Falls es über meiner Wohnung eine Dachterrasse gegeben haben sollte, gehörte sie nicht zu meiner Wohnung. Ich war jedenfalls nie dort oben. Eduard Schuler machte auf mich gleich den Eindruck eines wenig motivierten Angestellten, der seine Tätigkeit mangels einer besseren akzeptierte. Er hatte zwar Diplomatenstatus, kam in der Hierarchie aber nach den Berufsdiplomaten. Er musste nach deren Pfeife tanzen, was ihm nicht sonderlich gefiel. Von der Statur war er mittelgroß und schlank. Sein dunkelblondes Haar hielt er in einem Kurzhaarschnitt, wie es sich gehörte. Zudem war er bebrillt. Wenn er lächelte, wirkte es stets ironisch.

Mein Hausrat war inzwischen in Ankara angekommen. Selim – der Fahrer meines Chefs – sollte mir beim Auspacken und Einrichten helfen. Der Oberst hatte das so gewünscht. Zuerst fuhr Selim mich zu Möbelgeschäften, denn ich besaß nur einige wenige Möbelstücke, welche die 4 ½-Zimmerwohnung bei Weitem nicht füllten. In einem der Geschäfte erstand ich mit Selims Hilfe einen Esstisch mit Stühlen aus Massivholz, einen Orientteppich für darunter, ein Doppelbett mit zwei Nachttischchen und Lämpchen für das große Schlafzimmer, einen Schrank für eines der anderen Schlafzimmer – das einzige ohne Einbauschränke.

Es war mir peinlich, als Selim mir helfen wollte, meine Wäsche auszupacken. Meine Unterwäsche brauchte er nun wirklich nicht zu sehen! Just da klingelte es an der Wohnungstür. Es war Frank. Er hatte in der Botschaft angerufen und erfahren, dass ich dabei war, meine Wohnung zu beziehen. Selim verabschiedete sich. Bildete ich mir nur ein, er sei eingeschnappt wegen Franks Besuch? „Wer war das?", fragte Frank. Ich erklärte ihm, dass Selim als Fahrer und allgemeine Hilfe für meinen Chef arbeitete. „Er hat mir so viel geholfen. Wie kann ich ihm das nur danken? Vielleicht lade ich ihn einmal zum Essen ein?", dachte ich laut. „Das würde ich an deiner Stelle nicht tun. Er ist doch sicher verheiratet", antwortete Frank. „Ich sagte doch, ich möchte ihn zum Dank zum Essen einladen. Ich will doch nichts von ihm", protestierte ich. „Das könnte er falsch verstehen. Ich an deiner Stelle würde das sein lassen. Jetzt bin *ich* aber da, weil ich mit dir essen gehen möchte", beschied mir Frank.

Frank wollte mehr, als nur essen gehen. Er war seit Monaten ohne Frau in Ankara. Ich war auch allein in Ankara. Ihm schwebte vor, wir könnten zusammen eine schöne Zeit erleben, ganz unverbindlich. Es half auch nicht viel, dass ich ihm eine Verlobung vorschwindelte. Der Verlobte war ja nicht da. Frank schaffte es nicht, mich herumzubringen. Mit mir hatte er sich eine harte Nuss zum Knacken ausgesucht.

Am nächsten Tag bei der Arbeit – der Oberst war auf Heimaturlaub – sagte Selim, er würde mir gerne ein schönes Lokal zeigen. Ich sah es als Chance, mich für seine Hilfe erkenntlich zu zeigen; denn eine Einladung von ihm konnte ich nicht annehmen. Ohne Zweifel verdiente ich mehr als ein Lokalangestellter der Botschaft. Ich rechnete nicht mit dem Stolz dieses Mannes. *Er* hatte mir vorgeschlagen, essen zu gehen. Also wollte er mich einladen. Ich könne ihn ein anderes Mal einladen, gab er nach, damit ich seine Einladung annahm. Viel später erst sagte er mir, der Oberst habe ihm etwas Geld gegeben und ihn gebeten, mich während seiner Abwesenheit zum Essen auszuführen.

Selim führte mich in ein kleines typisch türkisches Lokanta (Restaurant.) Das Essen war vorzüglich. Zuerst aßen wir Mezze (verschiedene Vorspeisen). Der Tisch war voll mit kleinen Tellern und Schälchen. Noch nie zuvor hatte ich Mezze gegessen. Ich genoss dieses Essen in vollen Zügen. Wir tranken türkischen Wein, der erstaunlich gut mundete. Ich fühlte mich wohl in Selims Gesellschaft. Er war galant und ein guter Unterhalter. Ich war beschwipst, als ich die Toilette aufsuchte, und klemmte mir prompt den Finger ein beim Versuch, den Schieber der WC-Türe zu öffnen. Als ich zum Tisch zurückkehrte, sah Selim, dass mein Finger blutete. Er nahm sein Taschentuch und wickelte es um den verwundeten Finger, hauchte einen Kuss darauf: „Für eine gute Heilung." Und dann fügte er noch hinzu: „Leider hat mich meine Mutter zu früh geboren." Bei diesen Worten dachte ich, er sei eine Frühgeburt gewesen und fragte mich, warum er mir das erzählte. Erst einige Zeit später verstand ich: Er spielte auf unseren Altersunterschied an.

Ich nahm weiterhin an den Aktivitäten der Hash House Harriers teil, auch wenn ich keine Lust hatte, Frank zu begegnen. Ich ging ihm aus dem Weg und lernte Steven – einen jungen Diplomaten der britischen Botschaft kennen. Steven war ein paar Jahre jünger als ich. Als ich ihm mein Alter verriet, störte ihn das nicht; er wollte aber wissen, wann mein Geburtstag war. Eine Woche später hatte ich Geburtstag. Ein riesiger Strauß roter Rosen – 30 waren es an der Zahl – erwartete mich am Arbeitsplatz. Der Oberst sagte mit einem Zwinkern, die Rosen seien für mich abgegeben worden. Für sich dachte er wohl: „Kaum angekommen, bereits einen Verehrer geangelt." Selim war an diesem Tag schlechter Laune. Er schaute gekränkt drein, als er mir den üblichen morgendlichen Çay servierte. Ich las die Karte, die am Strauß befestigt war. Die Rosen hatte Steven überbringen lassen, den ich doch erst kennengelernt hatte. Genau dreißig tiefrote Rosen waren es. Ich feierte aber den einunddreißigsten Geburtstag. Eine Woche zuvor hatte ich zu Steven gesagt, ich sei dreißig. Da war ich das ja auch noch. Was veranlasste Steven, einer Frau, die er eben erst kennengelernt hatte und der er noch gar nicht nähergekommen war, dreißig rote Rosen zum Geburtstag zu schicken?

Die Hash House Harriers planten einen Ausflug nach Kappadokien. Ich hatte mich angemeldet. Wir fuhren mit einem gemieteten Bus nach Göreme zum Hotel. Steven wich nicht von meiner Seite. Er wollte unbedingt ein Zimmer mit mir teilen. Ich wehrte ab und setzte mich durch. Steven war beleidigt und zeigte mir dies während des gesamten Wochenendes. Der Ausflug war ansonsten schön.

Da weder Frank noch Steven eine rein freundschaftliche Beziehung zu mir wünschten, war ich wieder auf mich allein gestellt. Die meisten Abende – wenn nicht irgendein Anlass in der Botschaft stattfand – war ich allein. Dasselbe galt für die Wochenenden. In der Botschaft gab es niemanden, mit dem ich privat etwas unternommen hätte. Es gab einige Armeehasser darunter, allen voran Eduard Schuler – der Chef der Konsularabteilung –, der mit giftigen Bemerkungen nicht sparte. Was hatte er nur im Militär erlebt? Ich tat doch nur meine Arbeit, so wie auch Oberst Meyer und Selim – sein Fahrer.

Was mir gar nicht gefiel, war der Umgang, den einige Diplomaten mit den Lokalangestellten pflegten. Dass man sich beim Vornamen nennt, ist zwar üblich in der türkischen Kultur, aber es gehört ein Zusatz wie *Bey* oder *Hanım* dazu – was einem Siezen mit Vornamen entspricht. So viel wusste ich, obwohl ich erst begonnen hatte die türkische Sprache zu erlernen. Die *Untergebenen* wurden aber von fast allen Mitgliedern der Botschaft ohne diesen Zusatz mit Vornamen gerufen. Umgekehrt war es natürlich anders. Die Lokalangestellten sprachen ihre *Kolonialherren* mit „Herr" bzw. „Frau" und Nachnamen an oder wenn Englisch gesprochen wurde, wie Selim es tat, hieß es „Sir" und „Madam".

Durch die Hash House Harriers lernte ich Nuray kennen. Sie war mit einem Engländer verheiratet, hatte eine kleine Tochter mit ihm und gab Türkisch-Privatunterricht. Ich nahm einige Stunden bei ihr, bevor ich zur Selbstlernmethode mit Kassetten und Büchern wechselte. Nuray riet mir, auf keinen Fall einen Türken zu heiraten. „Türkische Männer sind sehr eifersüchtig.

Nimm dir einen türkischen Freund, um die Sprache zu lernen, heirate ihn aber auf gar keinen Fall." Das sagte sie als Türkin mit Nachdruck zu mir.

Selim fragte mich bald wieder, ob er mich abends zum Essen begleiten dürfe. Ja, warum nicht? Er kannte sich sehr gut aus in Ankara, hatte schon viele Besucher seiner wechselnden Vorgesetzten ausgeführt. So kam es immer öfter vor, dass Selim mich fragte, ob ich abends mit ihm essen gehen wolle. Er müsse den Oberst zu einem Empfang bringen und Stunden später wieder abholen. Dazwischen habe er Zeit. Oder er stand einfach vor meiner Tür.

3.
Freundschaft mit Selim

Eines Abends gab ich Selim zu verstehen, dass ich diese Treffen beenden wolle. Er solle seine Freizeit mit Frau und Kindern verbringen. „Gut, dann mach nächstes Mal einfach nicht auf, wenn ich klingle“, antwortete er. Genau das tat ich, als es bald wieder eines Abends an meiner Tür klingelte. Wer außer Selim konnte das schon sein? Deshalb machte ich keine Anstalten, den Türöffner zu betätigen. Ich blieb hartnäckig, obwohl er sicher zwanzigmal klingelte, bevor er abzog. Der Hauswart, der es mitbekam, sagte ihm, er solle mich in Ruhe lassen. An diesem Abend schrieb ich ein paar Briefe an Freunde und Familie.

Am nächsten Tag war Selim wortkarg. Er nahm es mir übel, dass ich ihm nicht geöffnet hatte. Tagsüber bei der Arbeit fühlte ich mich ziemlich einsam und abends sowie an den Wochenenden erst recht. Warum nur war ich nach Ankara gekommen? Zur Einsamkeit gesellte sich die Angst vor einem möglichen Raketenangriff aus dem Irak. So vergingen ein paar Wochen. Dann an einem Freitag fragte mich Selim, ob ich am Samstagabend Lust hätte, mit ihm Essen zu gehen. Die Einsamkeit war einfach zu groß, um nein zu sagen. Zudem fühlte ich mich wohl in seiner Gesellschaft. Wir verbrachten einen schönen Abend in einem Restaurant mit Musikprogramm.

Die folgende Woche begleitete Selim Oberst Meyer auf einer Dienstreise nach Jordanien. Ich hielt wieder die Stellung im Büro des Militärattachés – und fühlte mich einsam. Inzwischen hatte die neue Sekretärin des Botschafters – Béatrice – ihren Dienst in Ankara aufgenommen. Béatrice war eine gut aussehende junge

Frau um die dreißig. Sie war groß, aber nicht zu groß gewachsen, schlank – oder eher vollschlank – mit wohlgeformten Beinen. Auch ihr Busen war wohlgeformt. Ihr blondes, gewelltes, halblanges Haar umrahmte das Gesicht. Auf den ersten Blick war sie die nette, sympathische Kollegin, die man sich wünscht. Ich merkte aber schnell, dass wir nicht allzu viel gemeinsam hatten. Ihr lag sehr viel an Status und Luxus. Ich hingegen war naturverbunden und liebte das einfache Leben. Es war offensichtlich ihr Ziel, sich einen Diplomaten zu angeln. Das war ihr bisher scheinbar nicht gelungen, obwohl sie die Stelle als Sekretärin beim Außendepartement mit zwanzig angenommen hatte und sich bereits an verschiedenen Einsatzorten aufgehalten hatte. Sie gab mir den Tipp: „Lass dich nie wegen eines Mannes an einen bestimmten Ort versetzen. Das habe ich getan und es anschließend bereut."

Der erste Mitarbeiter unseres Botschafters in Ankara, François Dupont, war unverheiratet. Es dauerte nicht lange, bis er mit Béatrice eine Beziehung hatte. Diese dauerte aber nur kurz. Es wurde gemunkelt, er stehe auch auf Männer. Man merkte, dass Béatrice verärgert war. Was hatte sie nur in ihm gesehen? Er war übergewichtig und wirkte irgendwie weiblich, auf mich jedenfalls. Aber eben: Er war ein Diplomat. Sie hatte sich bereits als Gattin eines Botschafters gesehen. Und jetzt wollte er nichts mehr von ihr wissen. Repräsentieren konnte sie. Das musste man ihr lassen.

Während der Abwesenheit von Oberst Meyer und Selim gab François Dupont eine Einladung. Ich kann mich noch erinnern, dass ich mich vollkommen fehl am Platz fühlte – obwohl ich in Stockholm auch an einigen Empfängen teilgenommen hatte. Dort hatte ich mich mit den Arbeitskolleginnen und -kollegen gut verstanden. Die geladenen Gäste waren allesamt Angestellte von Botschaften. Sie übertrafen sich gegenseitig beim Smalltalk. Das belanglose Plaudern lag mir nicht. Zudem spickten die Knöpfe an meiner Hose weg, als ich mich setzen wollte. Zu viel gutes Essen, zu viel Mezze in letzter Zeit. Ich machte mich diskret aus dem Staub, womit ich mir bei François Dupont kaum Sympathie holte.

Wieder war es Freitag. Am Abend klingelte es an meiner Tür. Als ich öffnete, stand Selim vor mir. Ich schaute fragend auf den kleinen Koffer, den er bei sich trug. Er komme direkt von der Dienstreise mit Oberst Meyer und sei noch nicht zu Hause gewesen, erklärte er und fragte mich, ob ich mit ihm essen gehen wolle. Ja, warum nicht? Ich fühlte mich wieder einmal sehr einsam. Es wurde ein schöner Abend in einem einfachen, aber guten Lokal.

4.

Selim erzählt

Ich erfuhr mehr und mehr über Selim und sein bisheriges Leben. Bei der Geburt war er nicht nur klein gewesen wie eine Frühgeburt, sondern auch blau angelaufen und leblos. Doch die Hebamme soll nicht aufgegeben und den kleinen Körper massiert haben, bis er zu atmen begann. Selim war das zweite Kind von Hatice und Bekir. Sie hatten bereits den zweijährigen Erhan. Dieser war groß und wohlgenährt. Hatice ließ ihn weiter von der Brust trinken. Der kleine Selim war schwach und nahm nur langsam zu. Er blieb kleiner als die meisten Gleichaltrigen. Trotzdem oder gerade deshalb konnte er sich sehr gut wehren, besser als sein großer Bruder. Als er heranwuchs, hatte er keine Angst, sich mit größeren und stärkeren Jungs zu schlagen.

Hatice hatte sich als zweites Kind ein Mädchen gewünscht. Deshalb ließ sie Selims Haar wachsen. Er hätte ein Mädchen sein können mit seinen Locken. Er war oft bei der Mutter in der Küche und schaute ihr beim Kochen zu. Er war sogar dabei, wenn Hatice mit befreundeten Frauen in den Hamam ging. Trotzdem litt Selim sein ganzes Leben lang darunter, dass seine Mutter ihn weniger geliebt habe als seinen älteren Bruder Erhan.

Vater Bekir arbeitete bei der staatlichen Eisenbahn. Nicht immer ging es der Familie gut. Zeitweise lebte sie in Armut. Hatten sie Geld, gab es reichlich Essen, war das Geld knapp, gab es nur Brot. Selim hatte keine Schuhe, als er eingeschult wurde. Vom roten Halbmond erhielt er welche. Schuhe waren fortan sehr wertvoll für ihn. Seine Schuhe glänzten stets und er behandelte sie mit großer Sorgfalt.

Den Sommer durfte Selim ein paarmal bei seinem Onkel auf dem Land in der Nähe der Stadt Konya verbringen. Der Onkel war Landwirt. Was er genau anbaute, habe ich vergessen – sollte Selim es mir gesagt haben. Er erzählte, dass er ohne Sattel auf einem Pferd reiten lernte, dass die Familie bei den gemeinsamen Essen auf einem Teppich rund um einen niedrigen Tisch saß und es keine Teller gab, nur eine große Schüssel. Mittags brachten die Frauen, welche für die Hausarbeit zu Hause geblieben waren, den Männern, die auf den Feldern arbeiteten, das Essen. Manchmal bekam Selim vom Onkel eine Münze für geleistete Arbeit. Damit erstand er sich beim Krämer im Dorf einen Lokumwürfel (eine türkische Süßigkeit aus Zuckersirup und Stärke) zwischen zwei Butterkeksen. Das war damals – in der Türkei –, was heute ein Schokoriegel für die Kinder ist.

Von seinen Verwandten hörte Selim Geschichten über seinen verstorbenen Großvater. Dieser war ein Ağa gewesen – ein Großgrundbesitzer. Er hatte Kamele besessen, die als Lasttiere dienten. Als er sich eine zweite Frau genommen hatte, verließ ihn Selims Großmutter mit ihrem Sohn – Selims Vater – und zog in eine Kleinstadt zu Verwandten.

Ich fragte Selim, warum sein Vater vom Großvater kein Land geerbt hatte. Verlor der Großvater seinen Grundbesitz oder Teile davon irgendwann? Ich weiß nicht mehr, was Selim darauf antwortete. Eines wusste er: Seine Großmutter väterlicherseits war die erste Frau des Großvaters gewesen. Er hatte mindestens eine weitere Frau gehabt und mehrere weitere Kinder, Halbgeschwister von Bekir. Der Onkel, den Selim jeweils besuchte, war ein Halbbruder seines Vaters. Er hatte eine Tochter, die er gerne mit Selim verheiratet hätte. Selim gefiel seiner Cousine. Sie fand, er habe gute Manieren und sei überdies gescheit. Dass er klein und schmächtig war, störte sie nicht.

Selim war neun, als er mit der Familie nach Ankara kam, nachdem sie ein paarmal den Wohnort gewechselt hatten. Er wurde oft gehänselt, weil er der Kleinste in der Klasse war. Deshalb nahm er sich vor Klassenbester zu werden. Er hatte den Ehrgeiz und schaffte es. Seine Lehrerin, eine unverheiratete Frau mittleren Alters, schloss ihn ins Herz. Sie hatte mitbekommen, dass Selim aus einer ärmeren Familie stammte. Sie wollte ihm ermöglichen, ein Musikinstrument zu erlernen. Deshalb besuchte sie eines Tages Hatice, um sie zu fragen, ob sie Selim ein Musikinstrument kaufen und ihm Instrumentalunterricht ermöglichen dürfe. Hatice lehnte zuerst vehement ab. Ein so großes Geschenk könne sie nicht annehmen. Die Lehrerin wiederholte die Frage beharrlich, bis Hatice mit einem Seufzen zustimmte. Dass dieses Ablehnen und am Schluss doch Annehmen offenbar zur Kultur des Landes gehört, habe ich erst nach vielen Jahren begriffen. Ich dachte immer, man müsse die Antwort des Gegenübers respektieren; beharrlich weiterfragen sei unhöflich.

Selim bekam von seiner Lehrerin eine Violine und Musikstunden geschenkt. Auch darin zeigte er sich sehr ehrgeizig. Er war ein guter Musikschüler, so gut, dass er Jahre später die Prüfung für das Konservatorium bestand. Auch im Gymnasium war Selim ein sehr guter Schüler, obwohl er nebst der Schule noch einen Job als Hilfskellner in einem Restaurant hatte. So verdiente er nicht nur ein Taschengeld für sich. Er gab einen Teil des Verdienstes zu Hause als Beitrag in die Haushaltskasse ab.

Ein paar Jahre nach Selim gebar Hatice ein Mädchen – Feride. Sie und Selim standen sich ein Leben lang nahe. Sie waren sich ähnlich, im Charakter und im Aussehen. Sie beide waren kleiner als die übrigen Geschwister. Feride blieb das einzige Mädchen in der Familie. Nach ein paar Jahren kam Bruder Ahmed zur Welt und schließlich Ozan – als Nachzügler. Da war Selim vierzehn Jahre alt.

Als Selim 15 Jahre alt war, schaffte sein Vater ein Automobil an, um mit Taxifahrten zu seinem Beamtenlohn noch etwas dazuzuverdienen. Furkan, ein Bekannter der Familie, war bereit, tagsüber, wenn Bekir bei der Eisenbahn arbeitete, Taxifahrten zu machen. Einen Teil der Einnahmen behielt Furkan, den Rest gab er Bekir. Letzterer musste bald erkennen, dass Furkan ihn betrog. Die Abmachung wurde aufgelöst. Danach stand der Wagen tagsüber ungebraucht am Straßenrand. Abends und an den freien Tagen führte Bekir Taxifahrten aus. Eines Tages hatte der inzwischen sechzehnjährige Selim eine Idee. Warum sollte er nicht Taxifahrten machen können? Er traute sich zu den Wagen zu lenken. Also holte er sich den Schlüssel, ohne dass die Mutter es merkte. Er legte ein Kissen auf den Führersitz, setzte sich darauf, steckte den Schlüssel in die Zündung, kuppelte und gab etwas Gas. Der Wagen fuhr. Er drehte eine Runde durchs Quartier. Es ging gut.

Als der Vater nach Hause kam, sah er, dass der Wagenschlüssel fehlte. Er stellte Hatice zur Rede. Sie wusste von nichts. Da kam Selim nach Hause. Er hatte den Schlüssel in der Hand. Der Vater begann zu schimpfen und hob auch schon seine Hand, um den Sohn zu schlagen. Hatice stellte sich schützend vor ihren Sohn, als dieser sagte: „Vater, schau mal, was ich heute mit Taxifahren verdient habe. Wenn ich nicht im Restaurant arbeite, könnte ich mit Taxifahrten Geld verdienen, damit der Wagen nicht nutzlos herumsteht." „Du bist erst sechzehn Jahre alt und hast doch noch gar nicht gelernt, den Wagen zu fahren", beharrte der Vater. „Heute habe ich doch bewiesen, dass ich es kann", antwortete Selim seinem Vater.

Die Familie benötigte das Geld dringend. Deshalb ließ sich der Vater dazu überreden, dass Selim Taxifahrten machte. Das machte er während der folgenden Jahre regelmäßig. Mit achtzehn Jahren erhielt er den Führerschein. Er hatte bereits so viel Übung, dass er keine Fahrstunden benötigte. Etwa zur selben Zeit legte Selim die Reifeprüfung ab, dann die Prüfung zur Aufnahme an die Universität. Das Ergebnis war so gut, dass er für das Medizinstudium zugelassen wurde. Da er nebst dem Studium seinen Unterhalt verdienen musste, kam ein Medizinstudium nicht infrage. Auch die Prüfung zur Aufnahme ins Konservatorium bestand er. Doch davon wollten die Eltern nichts wissen. Sie blieben dabei: „Selim, du sollst einen Beruf erlernen, mit dem du später eine Familie ernähren kannst."

Selim hatte sich zudem für eine Ausbildung bei der Marine, der Deniz Harp Okulu, beworben. Für einen Eintritt benötigte er die Unterschrift der Eltern. Hatice und Bekir weigerten sich, das Anmeldeformular zu unterschreiben. Sie befürchteten, ihr Sohn würde danach nicht sesshaft werden und keine Familie gründen. Schließlich entschied sich Selim für das Wirtschaftsstudium, obwohl er auch Literatur und Poesie liebte. Lesen war seine Leidenschaft. Er kaufte sich regelmäßig Bestseller von international berühmten Schriftstellern.

Neben dem Studium ging er einer Teilzeitbeschäftigung bei der staatlichen Eisenbahn nach. Den obligatorischen Militärdienst schob er hinaus. Alles lief rund, bis Selim sich eines Tages mit einem Professor an der Uni stritt. Dieser hatte anscheinend eine Kritik geäußert, was die vom Staatsgründer Mustafa Kemal Atatürk verfolgte Politik betraf. Darauf warf Selim dem Professor vor, Kommunist zu sein. Als Folge wurde Selim von der Uni verwiesen. Er schrieb sich in einer privaten Hochschule für das Architekturstudium ein. Fortan arbeitete er tagsüber, ging abends zur Schule und lernte nebenbei für die Prüfungen.

Trotz Studium und Arbeit ging Selim ab und zu an den Wochenenden mit Gleichaltrigen aus. So lernte er Semra kennen. Semra war ausgebildete Krankenschwester mit Weiterbildung zur Hebamme. Sie kam aus Istanbul, hatte erst kürzlich eine Stelle in einem Krankenhaus in Ankara angetreten. Sie war klein und zierlich. Selim und Semra passten optisch gut zusammen, wie eine Freundin von Semra bemerkte. Sie beschloss die beiden zusammenzubringen. Zu Semra meinte sie: „Den solltest du dir nicht entgehen lassen. Er hat gute Umgangsformen, ist großzügig und dabei, sich eine gute Ausbildung anzueignen. Eines Tages wird er eine gute Stellung haben und dir viel bieten können."

Eines Abends lud Semra Selim ins Schwesternhaus ein, was eigentlich nicht erlaubt war. Nach etwa einem Monat, als sie sich zu viert trafen, nahm Semras Freundin Selim beiseite und sagte: „Semra ist schwanger. Du weißt, was das bedeutet. Du darfst sie jetzt nicht im Stich lassen." „Wir haben nie zusammen geschlafen", antwortete Selim. „Auch mit Petting kann es zu einer Schwangerschaft kommen", beharrte Semras Freundin. Selim fühlte sich zuerst hintergangen, kam aber nach reiflicher Überlegung zum Schluss, dass er Semra heiraten würde. Sie war eine hübsche junge Frau. Optisch passten sie gut zueinander. Nach der Heirat durften sie offiziell miteinander schlafen. Alles andere würde weitergehen wie bisher. Sie würde bald nach der Geburt wieder arbeiten. Er würde mit dem Studium weitermachen und daneben arbeiten.

Semra reiste für eine Woche zu ihrer Mutter nach Istanbul. Als sie zurückkam, sagte sie, sie habe eine Fehlgeburt erlitten. Später erfuhr Selim von einer anderen Krankenschwester, die mit Semra zusammenarbeitete, die Wahrheit. Semra hatte mit einem jungen jordanischen Assistenzarzt eine Beziehung gehabt; sie hatte erwartet, dass er sie heiraten werde. Doch der junge Arzt wollte nichts mehr mit ihr zu tun haben, als er von der Schwangerschaft erfuhr. Daraufhin trieb Semra ab.

Selim wollte Semra trotz allem heiraten. Sie tat ihm leid. Es würde schwer für sie werden, einen Mann zu finden, da sie keine Jungfrau mehr war. Das war zu jener Zeit in ihrer Kultur noch sehr wichtig. Nicht nur sie würde von einer Heirat profitieren. Er würde dadurch zu regelmäßigem Sex kommen. Seine erste sexuelle Erfahrung hatte er als Sechzehnjähriger mit einer verheirateten Nachbarin gemacht. Die zog dann aber einen seiner gut gebauten Freunde für eine Affäre vor. Semra nahm seinen Heiratsantrag an. Schließlich war Selim ein angehender Architekt. Warum sollte sie sich den durch die Lappen gehen lassen. Er war auch sehr großzügig, bezahlte ihr immer alles, wenn sie ausgingen, obwohl sie ihre Ausbildung längst abgeschlossen hatte und selber Geld verdiente.

Selims Mutter Hatice war alles andere als erfreut darüber, dass Selim die Krankenschwester aus Istanbul, die er beim Ausgehen kennengelernt hatte, heiraten wollte. Sie und Bekir weigerten sich, bei Semras Familie um deren Hand anzuhalten. Selim reiste allein zu Semras Familie nach Istanbul. Semra hatte keinen Vater mehr. Ihre Mutter und die kleine Schwester lebten in einem *Gecekondu* – einem in einer Nacht erstellten einfachen Haus – auf der europäischen Seite von Istanbul, an einem Hang mit Sicht auf den Bosporus. Es gab einen Onkel, der anstelle des Vaters familiäre Entscheidungen traf. Sowohl Semras Mutter als auch der Onkel und die kleine Schwester waren von Selims guten Umgangsformen angetan. Es imponierte ihnen auch, dass Selim studierte und darum später seiner Frau ein gutes Leben würde bieten können.

Die Hochzeit fand in Ankara statt. Semra wählte den Termin. Später warf Selim ihr vor, sie habe den Termin bewusst so gewählt, dass ihr nicht vorgeworfen werden konnte, sie sei keine Jungfrau mehr. Es war nämlich Brauch, dass die jungen Brautleute nach der Hochzeitsnacht ein blutverschmiertes Bettlaken präsentierten. Diese Erwartung konnte Semra nur erfüllen, weil sie ihre Tage zum richtigen Zeitpunkt hatte.

Semra und Selim wollten mit der Familienplanung warten, bis Selim sein Studium abgeschlossen hatte. Da sie aber nicht verhüteten, wurde Semra ein ums andere Mal schwanger. Sie, die Krankenschwester mit Weiterbildung zur Hebamme, trieb regelmäßig ab. Eines Tages waren es Zwillinge. Die Abtreibungen machten Selim zu schaffen. Nachdem Semra die Zwillinge abgetrieben hatte, sagte er zu ihr: „Wenn du wieder schwanger wirst, behalten wir das Kind." Das war keine gute Idee. Ich meine, Verhütung wäre die bessere Alternative gewesen, denn Selim war zu dieser Zeit noch nicht fertig mit der Ausbildung. Auch hatte er noch keinen Militärdienst geleistet. Den Militärdienst konnte er wegen der Ausbildung hinausschieben, leisten musste er ihn irgendwann. Es sei denn, er wurde als untauglich eingestuft. Das war jedoch nicht zu erwarten. Die fehlende Größe allein galt nicht als Grund für Untauglichkeit.

Bald darauf war Semra wieder schwanger. Sie waren sich einig, dass Semra das Kind diesmal austragen, ein paar Wochen nach der Geburt wieder arbeiten und das Kind in die Krippe bringen würde. Damit war Semra einverstanden. Zwar brachte Selim regelmäßig Geld für den Haushalt. Für ihre persönlichen Ausgaben kam Semra mit ihrem eigenen Verdienst auf. Zudem waren da noch ihre kleine Schwester Hülya und ihr Neffe Kadir, die zeitweise bei Semra und Selim wohnten und finanziell von ihnen unterstützt wurden. Semra gebar Töchterchen Ayshe. Selim hatte weder seinen Militärdienst geleistet noch war er mit der Ausbildung fertig. Tagsüber arbeitete er bei der staatlichen Eisenbahn. Abends ging er zur Schule. Es fehlte an Zeit und Geld.

In dieser Situation kam sein Freund Erol – Selim hatte mit ihm die Schulbank gedrückt – mit einem Vorschlag. Seinem Vater gehörte ein Baugeschäft. Er befand sich finanziell in einem Engpass. Für die Fertigstellung eines Wohnblockes brauchte er Investoren. Wenn das Gebäude erst mal fertig sein würde, könnte er es mit Gewinn verkaufen. Erol fragte Selim, ob er nicht in das Geschäft einsteigen und gleichzeitig für seinen Vater arbeiten wolle. Die staatliche Eisenbahn würde ihm bei Beendigung des Arbeitsverhältnisses das aufgelaufene Altersguthaben ausbezahlen. Diese Geldsumme könnte er Erols Vater als Kredit zur Verfügung stellen. Nach dem Verkauf des Wohnblockes werde Selim sein Geld mit Gewinn zurückerhalten. Selim ließ sich dazu überreden und gab die sichere Anstellung bei der staatlichen Eisenbahn auf. Der scheinbar schnelle und sichere Gewinn lockte ihn.

Es kam aber anders als geplant – wie so oft im Leben. Erols Vater musste den Wohnblock mit Verlust verkaufen, um nicht pleite zu gehen. Er konnte Selim nicht weiter beschäftigen und auch das geliehene Geld nur ratenweise zurückbezahlen – ohne Zins. Dabei fraß die Inflation einen nicht unbeträchtlichen Teil des ursprünglichen Betrages weg. Nun stand Selim ohne Job da, musste eine Familie ernähren und die Gebühren für die private Hochschule bezahlen. Ein Jahr blieb ihm noch bis zum Abschluss.

Ob sich Semra und Selim in dieser Situation wirklich nicht einschränken und es zu ihrer Priorität machen konnten, dass Selim seinen Abschluss machte? Sie nahm es ihm übel, dass er das Risiko gewagt und den sicheren Job bei der Eisenbahn gekündigt hatte. Das war verständlich, ebenso dass sie auf Erol nicht gut zu sprechen war. Aber es ging um die gemeinsame Zukunft mit Selim und Tochter Ayshe. Es lag ihr bei der Hochzeit sehr viel daran, einen angehenden Architekten zu heiraten. Jetzt hätte sie alles tun und Selim helfen sollen, dieses Ziel zu erreichen, auch wenn die Familie dabei einiges hätte entbehren müssen.

Selim suchte eine Arbeit. Beim nahen Taxistand fand er eine Anstellung. Das Gehalt war karg. Damit konnte er nicht eine Familie ernähren und die Gebühr für die private Hochschule bezahlen. Zudem musste er oft auch abends arbeiten. Schließlich gab er die Schule auf; es war nur als Unterbrechung gedacht – aber den Abschluss machte er leider nie.

Eines Tages wurde Mustafa, der Inhaber des Taxistandes, bei dem Selim angestellt war, von der kanadischen Botschaft angefragt, ob er Wagen und Fahrer für eine Türkeirundreise zur Verfügung stellen könne. Mustafa dachte sofort an Selim. Keiner seiner anderen Fahrer besaß eine so hohe Schulbildung und so gute Englischkenntnisse. Selim war zuerst wenig begeistert. „Ich habe eine Familie. Ich kann nicht wochenlang wegbleiben." „Der Verdienst ist außerordentlich gut. Den könntest du mit Familie doch gebrauchen", antwortete Mustafa.

Selim nahm den Job an. Es stellte sich heraus, dass er einem kanadischen Ehepaar, das an einem Reiseführer arbeitete, die Türkei zeigen sollte, was mehrere Wochen dauerte. Die Kanadier waren begeistert einen so kultivierten Fahrer für ihre Türkeireise bekommen zu haben. Leider hatten aber weder sie noch Mustafa – der Selim als Fahrer vermittelte – an den jeweiligen Etappenzielen Unterkünfte für Selim gebucht. So schlief er nachts im Wagen, wusch sich in öffentlichen Anlagen. Er machte trotzdem immer einen sehr gepflegten Eindruck, von Kopf bis zu den Schuhen, die stets glänzten.

Am Ende dieser Rundreise war das kanadische Ehepaar so zufrieden, dass sie ihn der kanadischen Botschaft als Fahrer empfahlen. Dort gab es aber gerade keine freie Stelle. Die jordanische Botschaft dagegen suchte einen Fahrer. Mit der Empfehlung der Kanadier bekam Selim die Stelle und arbeitete eine Zeit lang dort. Danach konnte er zur Botschaft eines europäischen Landes – mit besseren Arbeitsbedingungen – wechseln, wurde Fahrer des Militärattachés. Er bekam eine Dienstwohnung. Das hatte den Nachteil, dass er immer verfügbar sein und nebst seinen anderen Aufgaben auch die darüber liegenden Büroräumlichkeiten des Attachés reinigen sollte.

Semra und Selim wohnten jetzt im angesehenen Botschaftsviertel, hatten aber wenig Zeit füreinander. Jeder ging seiner Arbeit nach. Selim musste seinen Chef abends oft zu Empfängen und um

Mitternacht oder später zu dessen Dienstwohnung fahren. Dort kam der Wagen des Attachés in die Garage und Selim ging nach Hause, um am nächsten Tag um sieben Uhr seinen Chef abzuholen. Er war Fahrer, Butler, Gesellschafter und Trouble Shooter in einem. Hatte der Attaché Besucher aus der Schweiz, fuhr Selim diese umher und zeigte ihnen das Land, was er gerne tat. Die Frau des Attachés begleitete er regelmäßig zum Einkaufen. Um Selim das Putzen der Büroräumlichkeiten zu ersparen, ließ der Attaché die Putzfrau, die seine Dienstwohnung putzte, auch die Büroräumlichkeiten reinigen.

Im Laufe seiner Anstellung brachte Selim zweimal für den jeweiligen Attaché dessen Wagen auf dem Landweg von Ankara via Griechenland und Balkan in die Schweiz. Einmal begleitete er eine Schweizerin und den von ihr beauftragten Detektiv in eine ländliche Gegend, um ein Kind zurückzuentführen, das von seinem türkischen Vater aus der Schweiz entführt worden war. Beim zweiten Versuch gelang die Rückentführung. Die Mutter konnte mit ihrem Kind zurückreisen in die Schweiz. Dieses Erlebnis vergaß Selim nie. Er freute sich für die Mutter, dass sie ihr Kind gefunden hatte.

Eines Abends erhielt Selim einen Anruf aus der Kinderkrippe, in welche Semra Töchterchen Ayshe wochentags brachte. Sie fragten ihn, ob denn heute niemand das Kind abhole. Längst waren die anderen Kinder abgeholt worden. Wo war Semra? Selim holte Ayshe ab und brachte sie zu seiner Mutter. Er musste seinen Vorgesetzten noch zu einem Empfang fahren. Als er nach Hause kam, war Semra noch immer nicht da. Er nahm sich ein Taxi zum Krankenhaus, wo sie arbeitete. In der Abteilung angekommen, kam eine Krankenschwester auf ihn zu und meinte, er solle besser wieder nach Hause gehen. Semra habe Dienst. Warum hatte sie ihm das nicht gesagt? Er kehrte um. Als er den Gang hinunterlief, hörte er hinter einer Tür Semras Stimme. Er machte auf. Was er sah, ließ sein Blut in den Adern gefrieren. Semra und der Abteilungsarzt waren miteinander beschäftigt. „Deshalb hast du unsere Tochter nicht von der Krippe abgeholt! Du wirst sie nicht wiedersehen!“ Semra war zu geschockt, um etwas zu sagen. Selim stürmte aus dem Zimmer. Auf dem Gang kam ihm die Krankenschwester entgegen, die ihn hatte warnen wollen. „Habt ihr das gewusst?“, fragte Selim. „Ja, was hätten wir denn tun sollen?“, entgegnete sie.

Selim fuhr zu seiner Mutter, um Ayshe abzuholen. Er eröffnete ihr: „Mutter, Semra und ich werden uns scheiden lassen. Könntest du die Woche über auf Ayshe aufpassen?“ Hatice hatte drei Jahre lang Ferides Töchterchen Derya betreut. Feride und ihr Mann Attila waren gleich nach der Heirat als Gastarbeiter nach Deutschland gegangen. Als Feride schwanger war, hatten die beiden beschlossen, das Kind nach der Geburt vorerst in der Obhut von Ferides Eltern in der Türkei zu lassen. Als Derya drei Jahre alt war und sie einen Kindergartenplatz bekamen, holten sie sie nach Deutschland. „Ich habe dich vor dieser Heirat gewarnt“, antwortete Hatice. „Jetzt habt ihr die Verantwortung für ein Kind. Die nächsten paar Tage kann ich auf sie schauen. Danach müsst ihr eine andere Lösung finden.“

Semra getraute sich in den nächsten Tagen nicht nach Hause. Ayshe blieb bei ihrer Großmutter, die ihr fremd war. Sie weinte viel und fragte nach ihrer Mutter. „Das geht so nicht weiter“, sagte Hatice zu ihrem Sohn. „Ich kann nicht länger auf Ayshe schauen. Das Kind braucht seine Mutter.“ Selim hatte in der Zwischenzeit seine Schwester Feride um Rat gefragt. Sie schlug ihm vor, als Gastarbeiter nach Deutschland zu kommen. Ihr Mann Attila war Vorarbeiter in der Fabrik, in der sie auch arbeitete. Er würde Selim eine Stelle verschaffen können. Ayshe könnte gemeinsam mit Derya aufwachsen. Die beiden waren ungefähr gleich alt. Gerne hätte Selim diese Chance für einen Neuanfang gepackt. Doch er konnte nicht aus der Türkei ausreisen, da er seinen Militärdienst noch nicht geleistet hatte.

Schließlich blieb nichts anderes übrig, als Semra über eine Freundin zu bitten, wieder nach Hause zu kommen. Er wollte ihr verzeihen. Er stellte nur eine Bedingung. Sie musste ihre Stelle im Krankenhaus aufgeben. Es war nicht schwer für Semra, zwischen der Affäre mit dem Arzt und ihrem Kind zu entscheiden. Sie kündigte die Stelle und fand Arbeit in einer Kinderkrippe.

Als Selim und Semra mitten in einer Krise waren, hatte der damalige Verteidigungsattaché ein Au-pair-Mädchen aus der Schweiz angestellt. Da Selim die Frau des Chefs zum Einkaufen begleitete und ab und zu in der Dienstwohnung des Chefs zu tun hatte, lernte er Hedy kennen. Sie war keine Schönheit, aber es schmeichelte ihm, von einer Europäerin umworben zu werden. Sie verliebte sich in ihn. Die Frau des Militärattachés ließ die beiden oft alleine, damit sie sich näherkommen konnten. Sie und ihr Mann wussten von den Eheproblemen, die Selim hatte. Die beiden jungen Leute kamen sich näher. Hedy wurde schwanger. Sie gestand Selim, dass sie sein Kind erwartete, und fragte ihn, ob er sie in die Schweiz begleiten würde. Ihr Vater besitze ein Juweliergeschäft in Interlaken. Sie könne ihm in der Schweiz ein gutes Leben bieten und ihm einen Mercedes kaufen. Ayshe könne er mitnehmen. Sie würde sie lieben wie ihr eigenes Kind. Es war ein verlockendes Angebot für Selim. Aber es kam gar nicht infrage. Da war sein Töchterchen Ayshe, das er weder verlassen noch von der Mutter trennen wollte. Zudem musste er seinen Militärdienst leisten, bevor er das Land verlassen durfte. Hedy brach es das Herz. Sie entschied sich schließlich für eine Abtreibung und kehrte zurück in die Schweiz.

Kurz darauf ließ Selim sein Magengeschwür operieren. Danach war er nicht mehr fähig, Militärdienst zu leisten, war in dieser Hinsicht also frei. Ob diese Operation wirklich unausweichlich war oder ob sie gegen Geld gemacht wurde, um Selim vom Militärdienst zu befreien? Das bleibt eine unbeantwortete Frage. Jahrzehnte später erkrankte er an Magenkrebs. Die frühere Magenoperation könnte zu dieser Krebserkrankung beigetragen haben.

Ayshe war knapp sechs Jahre alt, als Semra erneut schwanger wurde. Sie hatte die Verhütung weggelassen, weil Ayshe sich ein Geschwisterchen wünschte. Selim nahm die Neuigkeit mit gemischten Gefühlen auf. Wie konnte er sicher sein, dass das Kind von ihm war. Was Ayshe anging, hatte er einen Vaterschaftstest machen lassen. Gemäß diesem war er zu 99% der Vater. Semra arbeitete inzwischen wieder in einem Krankenhaus. Sie war als Krankenschwester mit Weiterbildung zur Hebamme überqualifiziert für die Arbeit in einer Kinderkrippe.

Semra gebar Cem. Ayshe war bei der Geburt Äffchen genannt worden, weil sie so stark und dunkel behaart gewesen war. Cem dagegen hatte blonden Flaum auf dem Kopf. Semras Vorfahren kamen aus Bulgarien. Damit konnte sie sich das erklären, obwohl aus Selims Familie alle dunkeläugig und dunkelhaarig waren. Als der Militärattaché das Baby sah, fragte er: „Are you sure the hospital gave you the right baby?" Diese unbedachte Bemerkung schürte Selims Misstrauen, das Kind könnte ihm untergeschoben worden sein. Jahrzehnte später war die Ähnlichkeit zwischen Selim und seinem Sohn Cem nicht zu übersehen. Sie hatten sogar denselben Gang. Cem tat alles, um die Aufmerksamkeit und Liebe seines Vaters zu bekommen. Selim war zwar stolz auf seinen gescheiten, wissbegierigen Sohn, aber die Zweifel, ob er wirklich sein leiblicher Sohn war, sollten ewig an ihm nagen. Ayshe war sein Liebling. Sie wurde nach Strich und Faden verwöhnt, was ihr nicht guttat. Ein Bezug zur Realität sollte ihr zeitlebens fehlen.

Eines Tages – Cem war ungefähr zwei Jahre alt – bekam Selim einen anonymen Anruf aus dem Krankenhaus, in welchem Semra angestellt war. Die Informantin teilte ihm mit, seine Frau betrüge ihn mit einem Patienten, der inzwischen entlassen worden sei. Er sagte nichts, wollte sie überführen. Deshalb wartete er eines Abends nach Dienstschluss, als es keinen Empfang gab, zu dem er seinen Vorgesetzten hätte fahren müssen, vor dem Diensteingang des Krankenhauses. Er versteckte sich hinter einer Hecke. Bald darauf fuhr ein Wagen vor. Ein paar Sekunden später erschien Semra, ging zum wartenden Wagen und stieg ein. Der Wagen fuhr weg.

Selim beschloss bei nächster Gelegenheit in einem Taxi zu warten, welches dem Wagen mit Semra hinterherfahren sollte. Als er wieder eine Gelegenheit hatte, Semra nach Dienstschluss nachzuspionieren, war er zunächst erfolglos. Sie stieg in einen Minibus, der sie in die Nähe ihres Zuhauses brachte. Selim gab nicht auf. Er hatte die Information erhalten, Semra habe eine Affäre. Er konnte das nicht einfach so vergessen. Es war ihm auch aufgefallen, dass Semra abends nun meistens viel größere

Mengen kochte. Sie sagte dann jeweils, einen Teil davon nehme sie am nächsten Tag mit zur Arbeit. Einmal hatte er in der gewaschenen Wäsche eine Männerunterhose gefunden, die nicht ihm gehörte. Semra hatte das damit begründet, die Unterhose gehöre ihrem inzwischen erwachsenen Neffen. Die Eigentümerin der Villa, in der sie die Erdgeschosswohnung unter den Räumlichkeiten des Attachés bewohnten, wohnte im zweiten Stock. Sie hatte mitbekommen, dass Semra während mehrtägiger Abwesenheiten von Selim, wenn er den Militärattaché als Fahrer auf Reisen begleitete, Männerbesuch empfing. Sie hatte Selim nahegelegt, seiner Frau zu sagen, sie möge das unterlassen. Die gesamte Nachbarschaft spreche darüber.

Eines Tages – es war früher Abend – wartete Selim wieder im Taxi vor dem Krankenhaus. Er hatte sich zuvor nach Semras Dienstplan erkundigt, und dies damit erklärt, dass er seine Frau überraschen wolle. Es fiel ihm auf, dass wieder derselbe Wagen vorfuhr. Einige Minuten später kam Semra und stieg ein. Der Wagen fuhr los. Selim gab dem Taxifahrer die Anweisung, dem Wagen zu folgen. Der Wagen fuhr durch das Botschaftsviertel Richtung Gölbaşı, ein beliebtes Ziel für Sonntagsausflüge. Dort angekommen, hielt der Wagen auf einem Parkplatz. Das Taxi blieb in einiger Distanz stehen, damit es nicht auffiel. Selim wartete ein paar Minuten. Niemand stieg aus dem geparkten Wagen. Er sagte dem Taxifahrer, er solle auf ihn warten. Dann stieg er aus und ging auf den Wagen zu, in welchem zwei Liebende so beschäftigt waren, dass sie nicht merkten, wie er sich näherte. Auf dem Beifahrersitz saß ein Mann mittleren Alters mit Semra auf dem Schoss. Selim riss die Wagentüre auf. „Du kommst mit", sagte er. Er zerrte Semra aus dem Wagen und zum Taxi. Sie fuhren zur nächsten Polizeiwache, wo Selim Anzeige erstattete. Der Taxifahrer sagte als Zeuge aus. Semra musste zur gynäkologischen Untersuchung.

Dass Selim sie dermaßen bloßgestellt hatte, zahlte sie ihm Jahre später heim. Die Beziehung zu ihrem Liebhaber brach sie aber nicht ab. Dessen Frau ließ sich scheiden. Der Liebhaber musste seiner geschiedenen Frau fortan Unterhalt bezahlen. Semra plante heimlich ihren Auszug aus der gemeinsamen Wohnung. Als Selim seinen Vorgesetzten mit dessen Dienstwagen nach Jordanien begleitete, sah sie ihre Chance gekommen. Sie hatte nicht weit entfernt eine einfache Kellerwohnung gefunden, in welche sie das gemeinsame Hab und Gut verfrachten ließ. Selim ließ sie ein Bett, seine Kleider und persönlichen Sachen, u.a. seine Bücher, zurück. Als Selim von der Dienstreise zurückkehrte, fand er in der leeren Wohnung ein Bett und seine Kleider und einige Habseligkeiten vor. Nach dem ersten Schock erkundigte er sich bei den Nachbarn, ob sie etwas gesehen hätten. Ja, die Nachbarn hatten Semras Auszug mitbekommen. Ein paar Kinder waren dem Transporter mit dem Umzugsgut gefolgt. Sie konnten Selim zu Semras neuer Bleibe führen. Semra war nicht erfreut, als Selim vor ihrer Türe stand. Er gab ihr klar zu verstehen, dass er nicht bereit war auf seine Kinder zu verzichten. Schließlich hatte *sie* Ehebruch begangen.

Semra blieb nur die Wahl, auf die Kinder zu verzichten oder in die Ehe zurückzukehren. Auch Selim hatte keine andere Wahl, als wieder mit Semra zusammenzuleben. Seine Arbeitszeiten waren alles andere als regelmäßig. Oft arbeitete er sogar am Sonntag, fuhr seinen Vorgesetzten zum nahen See zum Joggen. Selim und Semra entschieden sich, für eine eigene Wohnung zu sparen, da sie wegen der Kinder zusammenblieben. Das lief darauf hinaus, dass Selim mit seinem Gehalt nicht nur den Haushalt finanzierte, sondern auch den größten Teil der Spareinlagen für die Kooperative, bei der sie sich angemeldet hatten. Semra gelang es scheinbar immer, von ihrem Gehalt einen Teil auf die Seite zu legen. Selim war der Ernährer. Es war seine Sache, für die Familie aufzukommen.

5.

Selim – immer wieder enttäuscht

Im Laufe seiner Anstellung als Fahrer für den Militärattaché musste Selim oft weite Strecken fahren, nicht nur in der Türkei, sondern auch in umliegende Länder wie Jordanien, Syrien, Irak und Iran. Es kam auf den jeweiligen Attaché an – alle drei bis vier Jahre gab es einen Wechsel. Einige zogen es vor, mit dem Flugzeug in die umliegenden Länder zu reisen. Das gab Selim Gelegenheit, Urlaub zu machen. Andere zogen es vor, mit dem Personenwagen zu reisen – mit Selim am Steuer. Es gab Jahre, in denen Selim nur ein paar Tage Urlaub machte. Einige Attachés, die sich fahren ließen, reservierten in den jeweiligen Ländern für Selim ein akzeptables Hotelzimmer und gaben ihm Reisegeld. Andere ließen über die Botschaften der betreffenden Länder für ihren Fahrer die billigsten Zimmer reservieren – ohne Warmwasser – und gaben ihm kein Reisegeld. Es kam vor, dass Selim auf Kollegen der jeweiligen Botschaft angewiesen war, die ihn zum Essen einluden. Ein Militärattaché ließ Selim jeweils bei sich ihm Hotel frühstücken, da seine Frau auf das Frühstück verzichtete.

Einer der ehemaligen Militärattachés, der auch auf Reisen stets korrekt mit Selim umgegangen war, enttäuschte ihn am Schluss schwer. Er bat Selim um Hilfe beim Verkauf seines Mercedes. Diplomatenwagen ließen sich in jenen Tagen in der Türkei zu guten Preisen verkaufen. Da Selim sehr viel von Automobilen verstand und ein gutes Beziehungsnetz hatte, bat ihn sein Chef, ihm beim Verkauf behilflich zu sein. Gelinge es Selim, den Mercedes zu einem bestimmten Preis zu verkaufen, erhalte er 3000 US-$ als Provision. Selim kannte jemanden, der sich sehr für den Mercedes interessierte, anfänglich aber nicht den verlangten Preis bezahlen wollte.

Doch es gelang Selim, diesen Interessenten dazu zu bringen, dass er den verlangten Preis bezahlte. Er brachte Käufer und Verkäufer zur Abwicklung des Geschäfts zusammen und übersetzte. Der Verkauf kam zustande. Der Militärattaché steckte das Geld ein, ohne Selim die versprochene Provision zu geben. 3000 US-$ waren auf einmal zu viel für einen Fahrer! Zudem hätte dieser ja mit dem Käufer irgendwas vereinbaren und eine Provision einstecken können. Das war eine herbe Enttäuschung für den ehrlichen Selim. Es sollten noch weitere folgen.

Die Botschaft erhielt einen neuen Chef für die Konsularabteilung. Er war verheiratet. Die Frau folgte ihm nach Ankara. Sie konnte als Sekretärin in der Botschaft arbeiten. Jeder hatte seinen eigenen Personenwagen. Einführen durften sie als Ehepaar nur einen. Sie erhielten nur ein Diplomaten-Nummernschild. Esra, die ortsansässige Sekretärin/Telefonistin der Botschaft telefonierte mit den Ämtern, um eine Genehmigung für die Einführung des zweiten Wagens zu erhalten. Schließlich gab sie auf. „Da ist nichts zu machen; wir müssen uns an die Bestimmungen halten“, beschied sie ihrem Vorgesetzten. In der Botschaft war bekannt, dass Selim bei Problemen mit den Behörden schon öfters erfolgreich war. Deshalb wurde er mit der Lösung dieses Problems beauftragt.

Tatsächlich schaffte es Selim, dass beide Wagen eingeführt werden durften und beide diplomatische Schilder erhielten. Esra war sauer. Selim hatte geschafft, was sie für unmöglich hielt. Da konnte nur der Geheimdienst dahinterstecken! Der neue Chef der Konsularabteilung, Herr Hofmann, und seine Frau waren sich einig, dass sie Selim etwas schuldeten. Sie versprachen ihm, er erhalte ihre Gartenmöbel, die ihm so gut gefielen, wenn sie dereinst versetzt werden würden. Als die Hofmanns nach ein paar Jahren in ein anderes Land versetzt wurden, verkauften sie die Gartenmöbel. Warum sollten sie diese einem Fahrer schenken, wenn sie sich verkaufen ließen?

6.

Angst während des zweiten Golfkriegs

An einem Freitagabend stand Selim mit seinem kleinen Reisekoffer vor meiner Tür. Er war mit Oberst Meyer auf einer Dienstreise gewesen. Ich schaute fragend auf den Koffer. Er sei noch nicht zu Hause gewesen, erklärte er und fragte mich, ob ich mit ihm essen gehen wolle. Ja, warum nicht? Ich fühlte mich wieder einmal sehr einsam.

Wir verbrachten einen Abend in einem Nachtclub. Vom Lokal fuhren wir mit dem Taxi zurück zum Wohnblock in Çankaya, wo sich meine Mietwohnung befand. Selim fragte, ob er mit hochkommen dürfe. „Ja, aber bitte nur kurz. Ich bin müde." Oben angekommen, eröffnete er mir: „Ich kann heute nicht mehr nach Hause gehen. Ich habe meiner Frau gesagt, ich käme erst morgen zurück." „Dann sagst du eben, dass sich das geändert hat. Du kannst nicht bei mir bleiben", entgegnete ich. Selim ließ sich nicht dazu bewegen, wegzugehen. „Dann schlafe auf der Couch", sagte ich verärgert. Ich selber ging in das Zimmer, welches ich als Schlafzimmer für Besucher eingerichtet hatte. Es hatte ein schmales Einzelbett. In dieses legte ich mich und schlief bald ein. Als ich am nächsten Tag aufwachte und ins Wohnzimmer spähte, war nichts von Selim zu sehen. Auf einem Sofakissen lag eine rote Rose. Selim war bereits weg.

Im Golfkrieg spitzte sich die Lage zu. Ich hatte Angst, Saddam Hussein könnte eine Rakete nach Ankara abfeuern. Eines Abends, als ich mit Selim darüber sprach, bot er an, über Nacht zu bleiben. Ich bot ihm wieder die Couch an und legte mich ins schmale Bett im Gästezimmer. Irgendwann in der Nacht kam Selim und legte sich im schmalen Bett neben mich. Es war November. Die Nächte waren kalt. Ich hatte kalte Füße. Selim wärmte meine Füße. Ich bemerkte, dass er erregt war, und fühlte mich als Frau. „Ich möchte dich spüren", sagte ich. Die Natur war stärker als jede Vernunft! Ab diesem Abend waren wir öfters zusammen.

Selim kam meistens noch vorbei, nachdem er seinen Chef zu dessen Wohnung gefahren hatte. An den Wochenenden gingen wir oft in ein Restaurant. Wir führten lange Gespräche. Selim erzählte von seinem bisherigen Leben, und dass er sich schon lange gerne scheiden lassen würde. Intimen Kontakt zu seiner Frau habe er nur noch selten, wenn er betrunken sei. Ihre Seitensprünge und außerehelichen Beziehungen könne er ihr nicht verzeihen. Wegen der Kinder habe er bis zu diesem Tag in der Ehe ausgeharrt. Wenn er seine Frau verlasse, solle für seine zwanzigjährige Tochter und den vierzehnjährigen Sohn gesorgt sein. Er erzählte, dass er und seine Frau Semra sich bei einer Kooperative beteiligt hätten, die eine Feriensiedlung in Kuşadası errichte. Die Zuteilung der Wohnungen, wie sie nach Erstellung erfolgen würde, sei mit Losen entschieden worden. Ihnen sei eine Wohnung zugeteilt worden, bei der sie die Möglichkeit hätten, später noch eine kleine Einliegerwohnung zu erstellen. Die Wohnung würde sich also gut verkaufen lassen. Aus dem Erlös könnten sie in Ankara eine Eigentumswohnung kaufen, welche Semra mit den Kindern würde bewohnen können. Weiter führte Selim aus, er habe sich kürzlich frühpensionieren lassen. So erhalte er zusätzlich zum Gehalt die – zwar gekürzte – Rente des türkischen Staates. Darauf sei er angewiesen, denn die regelmäßig zu leistenden Zahlungen für das Ferienhausprojekt seien hoch, höher als angekündigt worden war. Es waren fast ausschließlich Akademiker an diesem Projekt beteiligt.

Trotz zusätzlicher Einnahmen aus der Rente sei er jetzt in einem finanziellen Engpass. Er müsse für seine Tochter Ayshe die Studiengebühr für die Bilkent Privatuniversität bezahlen. „Warum besucht sie eine private Uni?", fragte ich. „Ich war nicht dafür, aber Semra hat sie ohne mein Einverständnis für ein Basisjahr angemeldet und die Studiengebühr für ein Semester bezahlt. So viel Erspartes hatte sie. Semra und Ayshe sagen, ich müsse für das nächste Semester bezahlen." Ich nahm an, Ayshe sei eine erfolgreiche Schülerin. Sonst würden ihre Eltern wohl kaum so viel Geld ausgeben, um sie an eine private Universität zu schicken.

Ich war bereit zu helfen. „Ich kann dir den gewünschten Betrag ausleihen, natürlich zinsfrei", bot ich Selim an. Er nahm das Angebot dankend an und versicherte, das Geld so bald wie möglich zurückzuzahlen. Was ich zu diesem Zeitpunkt nicht wusste: Ayshe besuchte ein Basisjahr an der Privatuniversität mit sehr geringen Chancen, danach aufgenommen zu werden. Sie hatte die gymnasiale Mittelschule nicht geschafft, sondern ihren Lise-Abschluss an einer Berufsmittelschule mit Schwerpunkt Haushalt und Handarbeiten abgelegt. Sie schaffte es damit an keine staatliche Universität. Trotzdem sagte sie zu ihrem Vater: „Da du mein Vater bist, musst du für die Studiengebühren an der Bilkent Universität aufkommen!"

Ich war erstaunt, dass sich Selims Tochter anscheinend so viel herausnehmen konnte. Nie hätte ich mich getraut, gegenüber meinem Vater eine solche Bemerkung zu machen. Mein Vater musste – obwohl meine Mutter auch außer Haus arbeitete – nebst der körperlich sehr anstrengenden Hauptbeschäftigung noch einen Nebenjob annehmen, um die Familie ernähren zu können. Selim arbeitete sechs Tage die Woche von frühmorgens oft bis spätabends und meistens auch sonntags einige Stunden, um seine Familie zu ernähren. Ich konnte mich hineinfühlen. Meine eigenen Eltern hatten hart arbeiten müssen, um mit uns acht Kindern finanziell über die Runden zu kommen. Deshalb war es für mich seinerzeit selbstverständlich, auf schnellstem Weg einen Beruf zu erlernen, um meinen Lebensunterhalt selber bestreiten zu können.

„Ich habe versucht sie zu überzeugen, dass sie nicht für die Universität geschaffen ist. Ich schlug ihr vor, Modezeichnerin zu werden. Sie zeichnet nämlich gerne und gut. Einen Sekretariatskurs habe ich ihr auch vorgeschlagen. Alles vergeblich, sie bleibt stur", seufzte Selim. Dann fügte er an: „Semra ist keine Hilfe. Sie sagt, ich wolle nicht, dass meine Tochter einen Universitätsabschluss mache, weil ich selbst keinen habe."

Selim erzählte mir, dass er Ayshe eine Nähmaschine gekauft habe, als sie in der Berufsmittelschule aufgenommen wurde. Er hatte gehofft, sie würde dabei eine Liebe zum Nähen entwickeln wie seine Schwester. Feride hatte dieselbe Schule besucht. Sie nähte leidenschaftlich gerne, hätte sich damit den Lebensunterhalt verdienen können. Ayshe konnte sich aber nie fürs Nähen erwärmen. Einmal sollte sie als Hausaufgabe einen Reißverschluss in eine Hose nähen. Als Selim abends nach Hause kam, traf er Ayshe weinend an. Es gelang ihr nicht, ihre Hausaufgabe zu erledigen. Semra konnte ihr nicht helfen. Selim setzte sich an die Nähmaschine. Das Resultat soll so gut gewesen sein, dass die Nählehrerin gefragt habe, wer Ayshe geholfen habe. Als sie erfahren habe, dass es der Vater war, soll sie gefragt haben: „Ist dein Vater Schneider von Beruf?“ Das war nur eines seiner Talente.

An einem Abend, als ich Selim nicht erwartete, klingelte es Sturm. Ich wusste, dass Selim und Semra von Oberst Meyer und Gattin zum Essen in ein schickes Restaurant eingeladen worden waren. So wie es klingelte, konnte es nur Selim sein. Er war es – sturzbetrunken. Ich wurde wütend. „Du weißt, dass ich es abscheulich finde, sich zu betrinken. Warum kommst du in diesem Zustand zu mir?“ Er hatte ein Problem mit Raki – türkischer Anisschnaps – und mit Whisky. Er konnte über Oberst Meyer – dieser über die Botschaft – Alkoholika und Zigaretten verbilligt bestellen, so wie es die versetzbaren Angestellten der Botschaft taten. Die Liebe zum Whisky teilte er mit Oberst Meyer. Oft tranken sie zum Abschluss des Tages noch einen Whisky zusammen.

7.

Das Ferienhausprojekt – Selims finanzielle Sorgen

Eines Abends war Selim sehr bedrückt. Er habe Sorgen. Ich fragte, was ihn beschäftige. Er gestand, dass ihn finanzielle Sorgen drückten. „Semra sagt, das sei mein Problem. Ich solle zusehen, wie ich es löse. Schließlich sei ich das Oberhaupt der Familie." Es stellte sich heraus, dass Selim die Raten für das Ferienhausprojekt nicht aufbrachte, nachdem er die Schulden für die Studiengebühr, die er bei mir gemacht hatte, getilgt hatte. Es war eine große Summe. „Wenn ich die geschuldeten Raten nicht innerhalb von vierzehn Tagen begleiche, werden wir aus dem Projekt ausgeschlossen. Die bis dahin einbezahlten Beträge würden zwar zurückbezahlt, aber ohne Berücksichtigung der Inflation. Wir würden sehr viel Geld verlieren. Das wäre jammerschade, da die Siedlung in etwa einem Jahr fertig gebaut sein wird. Ich suche einen Teilhaber, der für die geschuldeten und die nächsten Raten einstehen kann", erklärte Selim.

„Ich könnte dir das Geld ausleihen. Du müsstest mir auch keinen Zins bezahlen. Wir können einen Betrag in Dollar oder deutschen Mark festsetzen. So gewinne ich nichts dabei, verliere aber auch nichts", bot ich ihm an. Selim nahm das Angebot an. Er bestand aber darauf, dass ich persönlich mit dem Geld zur Kooperative gehen und mir dort eine Quittung geben lassen solle. In der Folge ging ich mehrmals zum Büro der Kooperative in Ankara und bezahlte größere Beträge ein. Es war nicht das erste Mal, dass ich jemandem aus Familie oder Freundeskreis Geld auslieh, ohne je daran zu verdienen. Ich konnte gut Geld zur Seite legen, da ich bescheiden war, weil in einfachen Verhältnissen aufgewachsen.

Leider übergab ich Selim die Quittungen für die einbezahlten Beträge und ließ mir eine handgeschriebene Schuldanerkennung für die geleisteten Beträge geben. Ich sage „leider", nicht weil ich ihm nicht hätte trauen können, sondern weil mich viele Jahre später ausgerechnet anlässlich seiner Beerdigung seine Tochter beschuldigte, ich hätte ihn finanziell ausgenützt. Zu diesem Thema komme ich später noch.

Wieder einmal war Selim auf einer mehrwöchigen Dienstreise. Er hatte Semra gesagt, dass ich mich am Ferienhausprojekt beteilige. Das verstand sie offensichtlich falsch. Kommunizieren konnten Semra und ich nicht miteinander, da ich erst ein paar Brocken Türkisch konnte und Semra anscheinend weder Englisch noch Deutsch verstand. Semra rief einige Male im Büro an, in welchem ich während der Abwesenheit von Oberst Meyer ganz alleine war. Ich verstand, dass Semra mich bedrohte, konnte mich aber nicht mit ihr verständigen. Ich hätte ihr gerne gesagt, dass ich es weder auf die Ferienwohnung noch auf Selim abgesehen hatte. Als Partner kam er für mich nicht infrage. Er war ein guter Freund, den ich irgendwann zurücklassen würde. Vorher wollte ich aber doch noch mein Geld zurückhaben.

Ich hatte jeden Tag Angst, Semra könnte mich auf dem Weg in die Büroräumlichkeiten angreifen. Die Dienstwohnung befand sich im Erdgeschoss der Villa; die Büroräumlichkeiten im ersten Stock, jedoch über eine Treppe von außen zugänglich. Es gab kein Treppenhaus, in welchem ich ihr hätte begegnen können. Was hatte Selim zu Semra gesagt? Hatte er meine Hilfsbereitschaft falsch verstanden? Zu den Ängsten bezüglich des Golfkrieges und der Raketen von Saddam Hussein war nun noch eine andere Angst gekommen. Als Selim von der Dienstreise zurück war, bat ich ihn seiner Frau zu erklären, dass ich nichts an dem geliehenen Geld verdienen wolle. Aber anscheinend redeten die beiden nicht viel miteinander.

Ein anderer redete mit Selim, nämlich der Hauswart des Mehrfamilienhauses, in dem Oberst Meyer seine Dienstwohnung hatte. Der Hauswart war verärgert. Er erzählte Selim, dass Ayshe während der Abwesenheit von Oberst Meyer und Gattin – diese war im Heimaturlaub – in dessen Wohnung eine Party für ihre Mitschüler gegeben habe. Es waren fast ausnahmslos Sprösslinge von reichen Eltern, für die es kein Problem war, die Studiengebühren für die Privatuniversität aufzubringen. Ayshe gab vor, sie feierten in der Wohnung ihrer Eltern. Ihren Mitschülern hatte sie gesagt, ihr Vater sei Inhaber eines Bauunternehmens. Der Hauswart drohte, Oberst Meyer zu informieren. Selim konnte ihn beschwichtigen. Er sagte, er nehme die Verantwortung auf sich. In der Wohnung war glücklicherweise nichts zu Schaden gekommen.

Bei der nächsten Reise mit dem Oberst gab Selim zu Hause ein späteres Rückreisedatum an, als es vorgesehen war. Er wollte mehr Zeit mit mir verbringen. Zu dumm nur, dass Ayshe damit beauftragt worden war, die Pflanzen in der Wohnung von Oberst Meyer in dessen Abwesenheit zu gießen. So verschaffte sie sich eines Abends mit dem Ersatzschlüssel Zutritt zur Wohnung und staunte nicht schlecht, als der Oberst anwesend war.

Daraufhin stellte sie ihren Vater zur Rede. Selim war überzeugt zu seiner Tochter ein sehr gutes Verhältnis zu haben und ihr vertrauen zu können. Er weihte sie ein, dass er mich liebe. Ayshe gab sich als verständnisvolle Tochter. Lena sei ja sooooo nett. Ob sie mich kennenlernen dürfe? So kam es, dass Selim eines Abends Ayshe mitbrachte. Da Ayshe im Vorbereitungsjahr der Uni das Fach Englisch belegte und vorhatte, Englisch zu studieren, konnten wir uns verständigen. Ayshe fragte, ob sie bei Fragen zu den Hausaufgaben jeweils zu mir kommen könne. Ich freute mich und stimmte zu. Was mir an diesem ersten Abend auffiel, waren die vielen Ringe an Ayshes Händen. Als ich meine Beobachtung später Selim mitteilte, antwortete er: „Die Ringe hat Ayshe von ihrer Mutter zu verschiedenen Gelegenheiten, wie Geburtstagen, geschenkt bekommen." Ich dachte: „Semra hat kein Geld, wenn es darum geht, Raten für das Ferienhausprojekt zu bezahlen. Die Ferienwohnung in Kuşadası soll eine Sicherheit sein, wenn sie einmal nicht mehr in der Dienstwohnung würden wohnen können. Für einen Vorbereitungskurs an der Privatuniversität und Schmuck für die Tochter hat sie Geld." Da waren

Prioritäten gesetzt worden, die ich nicht verstand. Ich selber besaß zu diesem Zeitpunkt genau zwei Ringe. Einen hatte ich von meinem Taufpaten zum achtzehnten Geburtstag erhalten. Den zweiten – ein schmales Goldband mit einem klitzekleinen Diamanten – hatte ich mir zu meinem dreißigsten Geburtstag ausgesucht, als ich ein Geschenk von Freunden – einen vergoldeten Teelichthalter –, den sie in einem Juweliergeschäft erstanden hatten, dagegen eintauschte.

Als Selim Oberst Meyer wieder einmal als Fahrer auf eine Reise in den Iran begleitete, fragte er mich vor der Reise, ob ich mir Sachen aus dem Iran wünsche, wie Seidenstoffe, Schuhe, Schmuck. Er habe jeweils die Möglichkeit, solche Einkäufe zu tätigen. Ich könne ihm eine Summe in amerikanischen Dollars für die Einkäufe mitgeben. Aus den Stoffen könne ich mir Kleider anfertigen lassen. Das mache die Frau von Oberst Meyer jedes Mal. Einen guten Scheider kenne er in Ankara. Der Oberst habe auch schon Edelsteine erstanden. Selim bringe diese Steine dann jeweils in Ankara zu einem Goldschmied und lasse Schmuckstücke anfertigen, die der Oberst seiner Frau schenke – nur einmal schenkte der Oberst einen Ring einer anderen Frau. Die Geschichte dazu folgt später. Ich übergab Selim ein paar hundert Dollar und sagte, er solle damit für mich kaufen, was er für gut befinde.

Zurück aus dem Iran brachte Selim Seidenstoff, zwei Paar elegante Schuhe in rosa bzw. rubinroter Farbe, in die ich meine Füße gerade noch hineinpressen konnte, einen Ring mit einem Rubin, der bläulich leuchtete. Ich war verzückt, obwohl mir der Ring nur am kleinen Finger passte. Dazu bekam ich noch einen Rubin – auch dieser ein ganz besonderer Stein – und eine Perle, die Selim für mich zum Goldschmied bringen wollte, um damit Ringe anfertigen zu lassen. Er machte Skizzen, wie die Ringe aussehen sollten. Der Goldschmied staunte nicht schlecht und sagte zum wiederholten Mal, Selim könnte das Entwerfen von Schmuck zum Beruf machen. Den Ring mit der Perle trug ich bei einem Anlass der Botschaft. Die Gattin eines britischen Diplomaten fragte mich, ob das mein Verlobungsring sei.

Da Selim nach der Rückkehr aus dem Iran direkt von der Wohnung seines Chefs zu mir kam, ohne vorher nach Hause zu gehen, hatte er auch die Geschenke für seine Tochter dabei, allerlei Sachen für die Truhe, die ihre Aussteuer beinhaltete, die sie später in die Ehe einbringen würde, und einen großen braunen Edelsteintopas. Aus diesem wollte er einen Anhänger für Ayshe anfertigen lassen, den sie an einer Kette um den Hals würde tragen können. Ich war erstaunt ob der Größe des Steins. Selim erriet meine Gedanken und meinte: „Wegen der Größe habe ich diesen Stein für Ayshe erstanden. Im Gegensatz zu dir steht sie auf großen, prunkvollen Schmuck."

Selim vertraute mir an, dass Oberst Meyer ihm den Auftrag erteilt hatte, zwei Edelsteine, die er im Iran erstanden hatte, zum Goldschmied zu bringen und zwei Ringe anfertigen zu lassen. Einen Ring wollte Oberst Meyer seiner Gattin Danielle schenken. Der zweite war für Béatrice, die Sekretärin des Botschafters, bestimmt. Oberst Meyer hatte Gefallen an Béatrice gefunden und sie zum Essen eingeladen, als seine Frau wieder einmal auf Heimaturlaub war. Sein Treffen mit Béatrice sollte geheim bleiben. Deshalb verabredete er sich mit ihr in einem Restaurant, wo üblicherweise keine Diplomaten verkehrten. Selim gab ihm den Tipp für das Lokal. Diesmal verzichtete der Oberst auf die Fahrdienste von Selim. Er nahm sich ein Taxi. Er erzählte Selim später, Béatrice habe ihn nach dem Essen zu sich nach Hause eingeladen. Geschehen sei aber nichts. Béatrice habe ihm klargemacht, dass sie bei ihren ersten Dates nie intim werde. Offensichtlich machte sich Oberst Meyer große Hoffnungen, dass es zu weiteren Dates kommen würde.

Dann folgte die Bombe. Oberst Meyer traf sich mit einem Diplomaten einer anderen Botschaft in einem Restaurant in Çankaya. Wie er dort so saß, sah er plötzlich Béatrice. Sie war mit einem Begleiter dort. Diesen konnte Oberst Meyer nur von hinten sehen. Als Béatrice Oberst Meyer bemerkte, verlangte sie schnell die Rechnung. Ihr Begleiter zahlte und sie verließen das Lokal fluchtartig. Danach rätselte Oberst Meyer lange, ob es sich beim Begleiter um den Militärattaché des früheren Einsatzortes von Béatrice handelte. Er hielt es für möglich, dass dieser Béatrice besucht hatte, obwohl er in der Schweiz eine Verlobte hatte. Trotzdem wollte Oberst Meyer Béatrice den Ring schenken, den er speziell für sie hatte anfertigen lassen. Selim erfuhr später, dass Béatrice den Ring angenommen hatte. Die Frau von Oberst Meyer merkte, dass etwas nicht stimmte. Wie ich später erfuhr, hegte sie den Verdacht, ihr Mann habe eine Affäre mit mir. Ich war ja schließlich seine Sekretärin.

Der Winter brachte in Ankara viel Schnee. Es war sogar kälter, als ich von Stockholm gewohnt war. In der Wohnung unter dem Flachdach war es sehr kalt. Oberst Meyer ließ durch Selim Brennholz schicken. Wenn Selim bei mir zu Besuch war, feuerte er den Kamin an. Vor dem Kamin war es schön warm. Eines Morgens erwachte ich mit Fieber und Schmerzen im Unterleib. Die Schmerzen waren so schlimm, dass ich kaum aufrecht stehen konnte. Esra rief beim Vertrauensarzt der Botschaft an. Dieser verschrieb Schmerzmittel und Antibiotika, ohne mich untersucht oder an einen Gynäkologen verwiesen zu haben. Er diagnostizierte eine Harnwegsentzündung. Die Schmerzen klangen ab, um nach einiger Zeit wiederzukommen. Wieder erhielt ich Antibiotika. Monatelang ging das so weiter. Erst später sollte sich herausstellen, dass ich an einer Eileiterentzündung litt und diese verschleppt hatte.

Ansonsten ging es mir recht gut. Ich erhielt oft Besuch von Selim. Am Sonntag kam er jeweils um die Mittagszeit, nachdem er Oberst Meyer zum Joggen und dann nach Hause gefahren hatte. Auf dem Weg nach Hause ließ Oberst Meyer Selim jeweils bei einer Konditorei anhalten, drückte ihm einen Geldschein in die Hand und beauftragte ihn, eine Torte zu kaufen. Diese lieferte Selim jedes Mal zu Hause ab. Danach fuhr er seinen Chef zu dessen Wohnung. Meistens lud dieser Selim anschließend bei sich noch zu einem Whisky ein, manchmal auch zum Essen. War er nicht zum Essen bei seinem Chef eingeladen, aßen wir zusammen. Manchmal kaufte er frischen Fisch, den er im Ofen zubereitete. Von einer nahen Bäckerei brachte er jeweils das beste Baguette aus Vollkornmehl, das ich je gegessen habe. Nicht nur das Brot blieb mir später in Erinnerung. Bei diesem Bäcker gab es auch himmlische Apfeltaschen und Hefeschnecken mit einer Füllung aus Nüssen und Rosinen. Selim aß wenig, obwohl er ein Genießer war. Er genoss es, mir beim Essen zuzuschauen. Ich hatte einen gesunden Appetit. Im Gegensatz zu ihm rauchte ich ja auch nicht. Manchmal fuhren wir zum Elmadağ (ein zu Ankara gehörendes Skigebiet), wo Selim auf einem kleinen Campinggrill Fleisch und Gemüse grillte – im Winter im Schnee. Rundherum waren Leute – mehrheitlich aus Ankara –, die ebenfalls im Schnee grillten. Sie genossen die verschneite Landschaft auf diese Weise.

Im Frühjahr war der Ramadan – der Fastenmonat –, von dem ich nicht viel mitbekam. Die Fastenzeit wurde mit dem Fest des Fastenbrechens beendet, das drei Tage dauerte – von Dienstag bis Donnerstag. Viele Einheimische nutzten diese Gelegenheit, um eine Woche Ferien an der Küste zu verbringen. Die Botschaft blieb die ganze Woche geschlossen.

Oberst Meyer war in Heimaturlaub, weshalb Selim wieder einmal Ferien machen konnte. Er fragte mich, ob er mir während der Urlaubswoche einen Teil seines Landes zeigen dürfe. Zuerst winkte ich ab. Aber Selim gab nicht so schnell nach. Er erzählte mir, dass er auch schon eine Vorgängerin von mir an die Küste begleitet habe. Ich hatte die Wahl, eine Woche ganz allein in Ankara zu verbringen, ohne jemanden zu sehen, oder Selims Angebot anzunehmen. Béatrice reiste nach Ägypten – zu ihrem ehemaligen Chef. Also nahm ich Selims Angebot an. Mit seiner Hilfe mietete ich einen Wagen. Er machte Pläne, wo die Reise hingehen solle. Er wollte mir so viel wie möglich von seinem schönen Land zeigen. Selbstverständlich kam *ich* für die Kosten des Mietwagens und die Hotelübernachtungen auf.

8.

Reise an die Mittelmeerküste

Am Samstag ging es los. In einer ersten Etappe fuhren wir von Ankara über Konya ans Mittelmeer. Unterwegs hielten wir bei einem kleinen Restaurant nahe der Straße. Es gab überbackene Forellen, die vorzüglich mundeten. Nach dem Mittagessen fuhren wir weiter, vorbei an großen Seen. Gegen Abend erreichten wir Alanya, einen Badeort an der türkischen Riviera, östlich von Antalya und damals noch wesentlich kleiner als heute. Jedenfalls habe ich das so in Erinnerung. Dort bezogen wir für eine Nacht ein Zimmer in einem 4-Sterne-Hotel in der Nähe der Burg von Alanya. Selim hatte schon verschiedene Male Besucher seines Vorgesetzten, mit denen er an die Mittelmeerküste gefahren war, in diesem Hotel untergebracht. Deshalb bekam er für mich einen Spezialpreis.

Wir besuchten die Burg von Alanya. Selim erzählte mir, dass in früheren Zeiten manch einer beim Sprung von der Burg sein Leben verlor. Es sah nämlich von oben so aus, als könne man direkt ins Meer springen. Dem war nicht so. Auf dem Weg zurück ins Hotel kamen wir an mehreren Juweliergeschäften vorbei. Wir schauten uns die Auslagen in den Schaufenstern an, wobei Selim interessierter war als ich. Ein Ring gefiel mir dennoch. Es war ein schmales Goldband mit einer herzförmigen Ausbuchtung oben, mit neun kleinsten Diamanten und drei ebenso kleinen Rubinen verziert. Dieser Ring wirkte so einfach und doch so besonders – wie ein Überbleibsel aus osmanischer Zeit. Alleine unterwegs, wäre ich weitergegangen, ohne den Ring zu kaufen. Mit Selim an der Seite betrat ich das Juweliergeschäft. Selim fragte nach dem Ring. Er passte in der Größe. Die Verhandlung über den

Preis überließ ich dem in dieser Hinsicht sehr gewandten Selim. Was aber nicht bedeutete, dass ich mir den Ring schenken ließ. Selbstverständlich bezahlte ich den Ring – wie auch die Leihwagenmiete, das Benzin, die Übernachtungen und die Mehrzahl der Mahlzeiten auf dieser Reise.

Am nächsten Tag reisten wir weiter. Wir aßen in einem kleinen Restaurant direkt bei den Wasserfällen am Fluss Manavgat. Danach fuhren wir weiter nach Side. Selim zeigte mir die Ruinen des antiken Side (Selimiye). Auf dem Weg nach Antalya schauten wir uns das von den Römern im zweiten Jahrhundert nach Christus erbaute Theater von Aspendos an. Das 12 000 Personen fassende Theater sei das am besten erhaltene und über die beste Akustik verfügende Theater, las ich im Reiseführer. Als Nächstes besuchten wir die antike Stadt Perge. Danach ging es weiter zum Düden Wasserfall, dann zu den Ruinen des antiken Termessos. Schließlich kamen wir nach Antalya. Wir schlenderten durch die Altstadt und besichtigten den Hafen. Danach reisten wir weiter nach Kemer. In der Nähe von Kemer führte ein ehemaliger Schulkollege von Selim eine Pension. Dort blieben wir für eine Nacht. Essen und Unterkunft waren sehr einfach. Es sollte mein Budget schonen und gleichzeitig konnte Selim seinem Freund eine Freude machen. Tags darauf brachen wir auf zur antiken Stadt Phaselis. Danach schauten wir uns die Ruinenstadt Olympos an. Weiter ging es zu den Ruinen des antiken Myra und Patara, dem Geburtsort des heiligen St. Nikolaus.

Am besten gefielen mir die beiden in der südlichen Ägäis an der Küste der Halbinsel Teke liegenden malerischen Orte Kaş (ausgesprochen: Kasch) und Kalkan. Dort aßen wir in einem Fischrestaurant mit Blick auf das Meer und ließen uns Zeit dabei.

Das nächste Etappenziel war Fethiye. Selims Schwester Feride und ihr Mann Attila hatten sich dort niedergelassen. Die beiden hatten ungefähr fünfzehn Jahre als Gastarbeiter in Deutschland gearbeitet. Sie waren in die Türkei zurückgekehrt, als ihre Tochter Derya in die Pubertät kam. Sie wollten verhindern, dass ihre Tochter sich in Deutschland verliebte und sie womöglich ihre Unschuld verlor. Ihre Tochter sollte unschuldig in die Ehe gehen, wie es sich ihrer Meinung nach für eine Türkin gehörte. Wahrscheinlich wünschten sie sich auch einen türkischen Ehemann für Derya.

Feride und Attila hatten in Deutschland beide in einer Fabrik gearbeitet. Sie hatten gespart für die Rückkehr in die Türkei. Vor allem Feride war sehr sparsam. Sie nähte alle Kleider selbst, kochte immer selber und backte Torten, wenn ihr Mann danach gelüstete, weil er welche in der Auslage einer Konditorei gesehen hatte. In den Ferien waren sie jeweils mit dem Wohnmobil in Europa unterwegs gewesen, wenn sie nicht die Türkei besuchten. Nach ihrer Rückkehr in die Türkei konnten sie sich sogar zwei Häuser kaufen und trotzdem noch Geld anlegen.

Feride hatte von ihrer Mutter Kochen, Backen und die übrigen Hausarbeiten gelernt. Nach der Grundschule hatte sie eine Haushaltsschule absolviert. Wie es dazu kam, dass Feride nach Abschluss der Schule – nach der Hauptschule absolvierte sie eine Haushaltsmittelschule – bei der Post arbeitete, hat Selim mir nie erzählt. Dass sie bei der Post ihren späteren Ehemann – den gut aussehenden Attila – kennenlernte, erwähnte er mir gegenüber. Vielleicht war es auch so, dass Attila schon vorher mit Selim befreundet gewesen war und er Feride nicht ganz fremd war. Jedenfalls arbeiteten die beiden auf demselben Postamt, als sie sich näher kennenlernten. Attila war überhaupt nicht der Wunschschwiegersohn von Hatice und Bekir. Erstaunlich war, dass sich Feride und Attila ineinander verliebten, so verschieden wie sie waren. Feride war vernünftig, nahm das Leben sehr ernst. Attila war ein Lebemann. Er hatte eine Beziehung zu einer Luxusprostituierten hinter sich. Diese ältere Frau hatte ihm jeden Wunsch von den Augen abgelesen.

Wahrscheinlich reizte Attila die Unschuld, die Feride als junge Frau ausstrahlte. Wie auch immer – mit der Hilfe und viel Überzeugungsarbeit von Selim erhielt Feride von ihren Eltern die Erlaubnis, Attila zu heiraten. Sie warnten sie zwar vor dieser Verbindung, überließen ihr dann aber die Entscheidung.

Feride und Attila gingen kurz nach der Heirat als Gastarbeiter nach Deutschland. Bei der Post in Ankara verdienten beide nur wenig. In Deutschland konnten sie in einer Fabrik arbeiten – Attila dank seinem guten Aussehen gar als Vorarbeiter. Feride wurde schnell schwanger, kam nach Ankara und gebar dort ihre Tochter Derya. Sie hatte mit Mutter Hatice vereinbart, dass das Kind für die ersten Lebensjahre in der Obhut von Hatice bleiben sollte. Feride fiel es sehr schwer, ohne Kind nach Deutschland zurückzukehren. Sie hatte die Muttergefühle unterschätzt und litt an Depressionen, weil sie ihr Kind zurücklassen musste. Zudem hatte sie während der Schwangerschaft übermäßig viele Kilos angefuttert. Sie fühlte sich nicht mehr attraktiv und ihr Mann bestätigte das auch noch.

Wie ich von Selim erfahren habe, soll Attila in den Jahren in Deutschland oft fremdgegangen sein. Er war groß, kräftig und gut aussehend. Die Frauen liefen ihm nach. Attila habe sogar einmal daran gedacht, Feride für eine andere Frau zu verlassen. Er habe aber bald eingesehen, dass keine andere so viel für ihn machen würde wie Feride. Trotz Arbeit in der Fabrik schmiss die den ganzen Haushalt, kochte die aufwendigsten Gerichte, backte Torten und nähte Hemden und Anzüge für ihn. Tochter Derya holten sie als Dreijährige, als sie einen Krippenplatz bekamen, nach Deutschland. Derya war im gleichen Jahr geboren worden wie Ayshe.

9.

Aufenthalt in Fethiye und Weiterreise

„Meine Schwester hätte zwar Platz in ihrem Haus. Aber es geht natürlich nicht, dass wir dort übernachten", meinte Selim. Das wäre für mich auch gar nicht infrage gekommen. Mit ihm bei seiner Schwester zu übernachten, hätte den Eindruck gemacht, wir planten eine gemeinsame Zukunft. Ich sah Selim zwar als guten Freund an, aber eines Tages würde ich ihn zwangsläufig verlassen; dann nämlich, wenn ich in ein anderes Land versetzt werden würde.

Ich wollte in Fethiye gerne in einem Hotel mit Pool übernachten. Wir entschieden uns für ein Clubhotel, auch wenn Selim fand, der Preis für das Zimmer sei übertrieben. Ich wollte es mir leisten. Fethiye war und ist nun mal ein beliebtes Touristenziel. Die Nachfrage bestimmt die Preise.

Feride und Attila erwarteten Selim zum Kaffee. Ich hätte nichts dagegen gehabt, wenn er alleine gegangen wäre, aber er wollte mich seiner Schwester vorstellen. Einerseits war ich neugierig auf Selims Schwester, anderseits wollte ich Selim nicht vor den Kopf stoßen. Wir tranken Kaffee und unterhielten uns in drei Sprachen (Türkisch, Deutsch und Englisch), weil keine der drei Sprachen alle Anwesenden beherrschten. Feride und Selim glichen sich äußerlich sehr. Man konnte sehen, dass sie Geschwister waren. Selim hatte mir erzählt, wie nahe sich die beiden in der Kindheit waren. Und als sich Feride in Attila verliebt hatte, war es Selim, der die Eltern dazu gebracht hatte, in die Heirat einzuwilligen. Attila war keinesfalls der Wunschschwiegersohn dieser einfachen Leute, denen Tradition so viel bedeutete.

Von Fethiye ging es weiter nach Marmaris, von wo aus wir einen Abstecher zur Datça-Halbinsel machten. Wir aßen in einem Fischrestaurant und machten uns danach auf in Richtung Bodrum. Auf dem Weg schwenkten wir ab Richtung Milas und besichtigten die Ruinen der antiken Stadt Mylasa. In Bodrum schauten wir uns die Altstadt an und schlenderten durch die Gassen. Danach fuhren wir nach Turgutreis, eine kleine Stadt auf der Halbinsel von Bodrum. Dort aßen wir Mantı, kleine mit Hackfleisch gefüllte Teigtäschchen, die mit Knoblauch-Joghurt und einer Soße aus Butter und Tomatenmark sowie Minze serviert werden.

Ünal, ein ehemaliger Schulfreund von Selim, führte in der Nähe von Turgutreis eine Pension. Selim schlug vor, bei Ünal zu übernachten, sofern er noch ein freies Zimmer in seiner Pension hatte. Ünal hatte ein freies Zimmer für uns. Er freute sich sehr über unseren Besuch. Er war ein wenig enttäuscht, dass wir nur eine Nacht blieben. Aber wir hatten für die verbliebenen Tage noch ein rechtes Stück Weg vor uns.

Weiter ging es nach Pamukkale. Die Kalksinterterrassen, die wie eine Watteburg aussehen – damals jedenfalls noch so aussahen –, sind über kalkhaltige Thermalquellen entstanden. Verschiedene Ausgrabungen waren einen Besuch wert, wie eine byzantinische Basilika, das Fundament des Apollotempels und ein römisches Bad, das heute als Museum dient. Gleich daneben befindet sich das antike Thermalbad. Wir besuchten auch das am Berghang gelegene römische Theater.

In Pamukkale entschlossen wir uns in einem Hotel zu übernachten. Es gab auch Pensionen. Einige Hotels in Pamukkale verfügten über ein Thermalbad. Wir entschieden uns für ein einfaches Hotel ohne Thermalbad. Nach dem Nachtessen machten wir einen Spaziergang. Selim ergriff meine Hand. Händchen haltend kamen wir an einem der nobleren Hotels vorbei. Durch die Glasscheiben sahen wir ins Hotelrestaurant. Ich glaubte meinen Augen nicht zu trauen. An einem Tisch saß Michel Grandjean, ein diplomatischer Mitarbeiter, der an der Botschaft in Ankara ein Praktikum absolvierte. Obwohl es draußen dunkel war, hatte ich das Gefühl, dass er uns auch gesehen hatte. Ein ungutes Gefühl beschlich mich. Ich hatte bereits seit einiger Zeit den Eindruck, Michel Grandjean und Eduard Schuler – Chef der Konsularabteilung – seien gegen Selim und suchten gemeinsam einen Grund, diesen loszuwerden. Es passte ihnen wohl gar nicht in den Kram, wie viel Zeit Selim mit dem Oberst verbrachte und wie viele Kompetenzen er hatte. Wie sich später herausstellen sollte, waren sie überzeugt, Selim sei ein Mitglied des türkischen Geheimdienstes MIT.

Bevor Selim und ich nach Ankara zurückkehrten, besuchten wir Kuşadası an der Ägäisküste. Hier legte vor sieben Jahren das Kreuzfahrtschiff an, als ich mit einer Freundin von Rhodos aus eine Kreuzfahrt unternahm. Auf dem Landausflug besuchte ich damals die antike Stadt Ephesus. Selim war schon etliche Male mit Gästen hier gewesen. Er zeigte mir die Ferienwohnung, an der ich mich finanziell beteiligte. Die Siedlung war beinahe fertig. Abermals erklärte mir Selim, welches Glück er und seine Frau mit dem Los gezogen hatten, mit welchem ihnen die Wohnung zugeteilt worden war. Sie würden diese sehr gut verkaufen können. Mit dem Erlös wollte er eine Wohnung in Ankara kaufen, damit seine Familie nicht auf eine Mietwohnung angewiesen sein würde, wenn später die Dienstwohnung nicht mehr zur Verfügung stand. Natürlich sollte ich vorher meine Einlage zurückerhalten. Wir genossen den letzten Ferientag, bevor wir tags darauf die Rückreise antraten nach Ankara.

10.

Zurück in Ankara

Zurück in Ankara war es mir mulmig zumute. Hatte Michel Grandjean mich gesehen, wie ich Händchen haltend mit Selim vor den Glasscheiben des Restaurants vorbeispazierte? Wenn ja, ging er natürlich sofort zu Eduard Schuler, um ihm davon zu berichten. Ich stellte mir vor, wie die beiden einerseits empört waren, anderseits triumphierten, dass sie endlich einen handfesten Grund gegen Selim gefunden hatten. Nur, was wollten sie beweisen und wie? Die beiden waren mir gegenüber sehr unfreundlich gestimmt, sprachen mich aber nicht auf meine Reise an. Es hätte mich auch sehr erstaunt, wenn Michel Grandjean das getan hätte. Er war introvertiert und ängstlich. Mit Direktheit konnte auch Eduard Schuler nicht punkten. Er spielte lieber hinter dem Rücken anderer seine Spielchen. Mag sein, dass einige seiner Verbündeten es später bereuten, mitgespielt zu haben.

Während Selim wieder einmal mit Oberst Meyer unterwegs war, blieb seine Frau Semra nicht untätig. Ayshe hatte ihr erzählt, dass Selim und ich zusammen die Bayram-Ferienwoche verbracht hatten und wir uns regelmäßig trafen. Vielleicht war es auch Ayshe, die ihrer Mutter sagte, was sie in dieser Situation tun solle? Jedenfalls ging Semra zur Botschaft und erzählte der Lokalangestellten Esra, was sie von ihrer Tochter erfahren hatte. Sie solle es Eduard Schuler – der als Personalchef waltete – melden. Das tat Esra nur zu gerne. Es war ihr ein Dorn im Auge, dass Selim scheinbar für jedes Problem eine Lösung fand und sie das nicht schaffte. Das musste wohl daran liegen, dass er mit dem Geheimdienst zusammenarbeitete. Es gab aber noch einen anderen

Grund, weshalb Esra diese Mitteilung mit Genugtuung weiterleitete. Sie selber hatte vor einigen Jahren eine Beziehung zu einem diplomatischen Mitarbeiter des Botschafters gehabt. Die Beziehung fand ein jähes Ende, als sie – beide verheiratet – von einem anderen Mitarbeiter beim Sex ertappt wurden. Der fehlbare diplomatische Mitarbeiter wurde in ein anderes Land versetzt, bevor die Geschichte nach außen dringen konnte. Von ihrem Liebhaber hörte Esra danach nichts mehr. Dabei hatte sie von einer gemeinsamen Zukunft geträumt.

Esra gab die Meldung an Eduard Schuler weiter, aber nicht etwa aus Solidarität mit Semra. Nein, auf diese Weise konnte sie Selim eines auswischen. Michel Grandjean und Eduard Schuler bekamen mit dieser Nachricht genau, was sie wollten. Sie hatten jetzt einen hieb- und stichfesten Grund, Selims Entlassung zu fordern. Dabei war ihnen Selims Familie völlig gleichgültig. Semra war sehr naiv, wenn sie dachte, sie werde bedauert und diese Geschichte hätte nur und vor allem für mich Folgen.

Während der nächsten paar Wochen waren Michel Grandjean und Eduard Schuler damit beschäftigt, sich zu überlegen, wie sie Selims Entlassung angehen sollten. Ich blieb von herablassenden Blicken nicht verschont, wenn ich mich in den Botschaftsräumlichkeiten zeigte. Die Gänge zur Botschaft waren wie ein Spießrutenlauf. Tuschelten alle hinter meinem Rücken oder bildete ich mir das ein?

Auf dem Weg zur Arbeit fühlte ich mich zudem nicht mehr sicher. Selim wohnte ja bekanntlich mit seiner Familie im Erdgeschoss der Villa, in welcher sich im ersten Stock die Räumlichkeiten des Militärattachés befanden. Semra kannte die Telefonnummer zum Apparat, der in meinem Büroraum stand. Dauernd rief sie an und beschimpfte mich. Einmal war Selims Mutter zu Besuch und beschimpfte mich ebenfalls. Ich verstand nicht, was die beiden Frauen sagten, da ich erst ein paar Brocken Türkisch konnte. Zu gerne hätte ich Semra gesagt, dass ich nicht im Sinn hatte, ihr den Mann auszuspannen. Ich kam aus sehr einfachen Verhältnissen. Ich genoss das Leben, welches ich mir mit meiner Anstellung als Sekretärin beim Außenministerium leisten konnte.

Warum sollte ich das aufgeben? Noch dazu für einen Mann, der siebzehn Jahre älter und verheiratet war? Welchen Vorteil sollte ich davon haben?

Ich warnte Selim vor den Absichten von Michel Grandjean und Eduard Schuler. Es sah so aus, als ob Selim die Wahl hatte, selber zu kündigen oder auf Druck der beiden gekündigt zu werden. Noch wusste der Botschafter von nichts. Sicher gefiele es ihm nicht, zu hören, dass ich eine Beziehung mit dem Fahrer des Militärattachés hatte, der beschuldigt wurde, Beziehungen zum Geheimdienst zu unterhalten, und der zudem noch ein verheirateter Mann war. Das kam einem Skandal gleich.

Selim kündigte seine Stelle nach siebzehn Dienstjahren. Oberst Meyer war alles andere als erfreut. Selim war für ihn mehr als nur ein Angestellter – er war ein Freund. Er hatte mit dem Gedanken gespielt, Selim später mitzunehmen in seine Heimat. Er wusste, wie zerrüttet die Beziehung zwischen Selim und seiner Frau Semra war. In Oberst Meyers Heimat gab es eine Frau, die er in Gedanken bereits mit Selim zusammengebracht hatte. Es war die Schwester seiner Gattin. Er hatte Selim vor einiger Zeit ein Foto gezeigt, worauf Selim gesagt hatte, die Frau auf dem Bild habe schöne Augen. Nicht nur für Selim hatte Oberst Meyer Pläne. Ayshe sah er in Gedanken mit seinem jüngsten Sohn verheiratet. Der lernte gerade das Hotelfach. Danach würde er eine tüchtige Frau an seiner Seite brauchen. Dass Ayshe das war, davon war Oberst Meyer überzeugt. Schließlich kam sie aus einer einfachen Familie.

Die Botschaft suchte einen Nachfolger für Selim, wobei Oberst Meyer das letzte Wort hatte. Eduard Schuler präsentierte einen Anwärter, der so gar nicht in das Anforderungsprofil passte. Nicht nur dass er schlechte Umgangsformen hatte, bei der Probefahrt fuhr er auf den Randstein. Wie sollte dieser Fahrer Oberst Meyer Hunderte, ja Tausende von Kilometern in die Nachbarländer chauffieren?

Esra war von einer Bekannten im Außenministerium gebeten worden, für deren Neffe Engin ein gutes Wort einzulegen. Der junge Mann war in Deutschland aufgewachsen und beherrschte die deutsche Sprache. Er durfte sich vorstellen, wobei er bei Oberst Meyer mit meiner und Selims Unterstützung eine richtige Prüfung absolvieren musste. Die Anforderungen an ein gepflegtes Äußeres erfüllte der junge Mann. Die schriftliche Prüfung bestand er auch. Selim führte mit ihm eine Probefahrt durch. Am Schluss waren Oberst Meyer, Selim und ich überzeugt, dass dieser junge Mann sich als Selims Nachfolger eignete. Selim verschwieg zu diesem Zeitpunkt das einzige mögliche Hindernis für eine Anstellung. Er hatte während der Probefahrt bemerkt, dass Engin farbenblind war. Das verriet er mir erst später.

Als sein Arbeitsverhältnis endete, bekam Selim wie üblich eine Abgangsentschädigung. Diese stellte einen Teil der Altersvorsorge dar. Sie berechnete sich nach der Höhe des Salärs und der Anzahl der Dienstjahre. Selim ging davon aus, dass die zur Verfügung gestellte Dienstwohnung in all den Jahren Teil des Salärs gewesen war. Deshalb war er der Meinung, der Gegenwert hätte bei der Berechnung der Abgangsentschädigung einberechnet werden müssen. Hätte er nicht die Dienstwohnung bewohnt, wäre sein Gehalt höher gewesen. Jedenfalls wäre das logisch gewesen. Er wäre auch nicht Tag und Nacht zur Verfügung gestanden.

Eduard Schuler war anderer Meinung – wobei er sicher nur ausführte, was ihm von oben diktiert wurde. Die beiden stritten sich. Selim drohte zu einer Zeitung zu gehen und den Fall zu schildern. Dabei geriet er wohl ziemlich in Rage. Eduard Schuler bekam es mit der Angst zu tun und bewirkte, dass Selim das Botschaftsgelände nicht mehr betreten durfte. Ich konnte Selim davon abhalten, mit der Geschichte zu einer Zeitung zu gehen.

Ich fragte Selim, ob es nicht möglich sei, die seinerzeit abgebrochene Ausbildung zum Architekten wieder aufzunehmen und zu beenden. Er sprach mit dem Rektor der Schule. Leider ging das nicht. Zu viele Jahre waren vergangen.

Selim mietete für sich und seine Familie eine Wohnung in Yukarı Ayrancı, einem Viertel, das zum Stadtteil Çankaya gehört, also keineswegs einer billigen Wohngegend. Es sollte eine vorübergehende Lösung sein, da er beabsichtigte, die beinahe fertiggestellte Ferienwohnung in Kuşadası zu verkaufen und mit dem Erlös eine Wohnung in Ankara zu kaufen. Darüber sprach er mit seiner Frau Semra. Sie hatte anfänglich nichts dagegen, verlangte aber, dass die Wohnung auf ihren Namen gekauft werde. Tochter Ayshe stellte klare Bedingungen. Für sie kam nur eine Wohnung in Çankaya – dem Botschaftsviertel! – infrage. Schließlich war sie dort aufgewachsen. „Dafür wird der verbleibende Erlös, nach Rückzahlung der Einlage von Lena, nicht reichen", antwortete Selim. „Ich ziehe nur in eine Wohnung in Çankaya. Schließlich wohnt Lena auch in Çankaya, oben beim Atakule-Turm[2]", beharrte Ayshe.

Ein paar Tage später stand Selim mit mehreren Umzugskartons vor meiner Wohnungstür. Ich machte große Augen. Er wollte doch nicht etwa bei mir einziehen? Ich stand wie erstarrt da. Hatte Selim einen freudigen Empfang erwartet? Er reagierte verletzt: „Ich dachte, ich sei willkommen bei dir." „Du kannst nicht bei mir wohnen. Es gäbe einen Skandal, wenn das rauskäme", sagte ich bestimmt. „Wohin soll ich gehen? Meine Frau hat mich vor die Tür gesetzt." „Aber du bezahlst doch die Miete für eure Wohnung. Soll sie doch ausziehen. Also, hier kannst du wirklich nicht bleiben. Du musst dir etwas suchen", beharrte ich. „Kannst du mich wenigstens vorübergehend aufnehmen, bis ich eine andere Bleibe habe?", fragte er mich bittend. Ich willigte ein, wenn auch ungerne.

Am folgenden Sonntag wurde Selim zu seiner Familie gerufen. Ein Onkel und ein Schwager seiner Frau waren nach Ankara gekommen. Sie wollten mit Selim und Semra besprechen, wie es weitergehen solle. Als Selim die Wohnung betrat, sah er mehrere übergroße Kartons. Er fragte, was in diesen Kartons sei, und erfuhr, dass Semra auf seine Rechnung einen neuen Kühlschrank, einen Geschirrspüler, eine Waschmaschine und einen Wäschetrockner erstanden hatte. Bis auf den Geschirrspüler war bereits

---

2 Der Atakule-Turm ist ein 125 Meter hoher Turm mit einem Drehrestaurant in der türkischen Hauptstadt Ankara. (WIKIPEDIA)

alles funktionstüchtig vorhanden. Einen Geschirrspüler besaß in jenen Jahren längst nicht jeder Haushalt, nicht einmal in Europa! Selim rief sofort den Lieferanten an und bat ihn, die Geräte zurückzunehmen. Dieser weigerte sich. Semra meinte dazu, Selim habe ja Geld von der Botschaft erhalten – die Abgangsentschädigung. Damit müsse er die Haushaltgeräte nun bezahlen. Erst viel später kam heraus, dass die ganze Aktion Ayshes Idee war.

Semras Onkel Gökhan und der Schwager Burhan beorderten eine Konferenz ein. Die finanziellen Belange sollten geklärt werden. Sie forderten Selim auf, von mir einen größeren Geldbetrag zu verlangen, um für seine Familie eine Wohnung in Çankaya kaufen zu können. Das lehnte Selim entschieden ab: „Sie ist nicht reich. Sie kommt aus einer einfachen Familie. Die Einlage für das Ferienhausprojekt hat sie als zinslosen Kredit geleistet. Diesen Betrag werde ich ihr zurückbezahlen", soll er so bestimmt gesagt haben, dass die beiden *Familienvorsteher* ihre Forderung zurücknahmen.

Das Gespräch kam auf Ayshe und ihre Ausbildung. Wenigstens in diesem Punkt waren sich alle Anwesenden einig. Es war sinnlos, Ayshe weiter in den Vorbereitungskurs der Bilkent-Universität zu schicken. Mit ihrer Vorbildung war es nahezu aussichtslos, in die Universität aufgenommen zu werden. Als weiterer Punkt wurden die zukünftigen Unterhaltszahlungen besprochen. Selim bot an, seine Rente aus der vorzeitigen Pensionierung für den Unterhalt seiner Kinder zu verwenden.

In den folgenden Tagen und Wochen begab sich Selim auf Arbeitssuche. Tag für Tag studierte er Zeitungen und ging bei Taxiständen vorbei, um nach einer offenen Stelle zu fragen. Eines Tages sah er ein Inserat einer amerikanischen Tochterfirma, die Leute im Marketingbereich suchte. Er meldete sich bei dieser Firma und konnte sofort zu arbeiten beginnen. Er sollte auf Provisionsbasis Geräte für die Luft- und Bodenreinigung verkaufen. Ein festes Gehalt gab es nicht. Selim war überzeugt, er werde es schaffen, sich seinen Lebensunterhalt auf diese Weise zu verdienen. Bedingung war allerdings, dass er einen Personenwagen zur Verfügung hatte. Er kaufte sich aus dem Rest seiner

Abgangsentschädigung einen gebrauchten roten VW-Käfer. Das war sein erstes eigenes Automobil. Darüber freute er sich wie ein kleiner Junge über ein besonderes Spielzeug. Nach einer Einführung in der Firma ging es los mit Vorführungen. Pro verkauftes Gerät erhielt er 200 US-Dollar. Das hört sich nach viel an, allerdings waren die Geräte sehr teuer. Nur reiche Familien konnten sich ein solches leisten. Zudem musste jeder Verkäufer seine Kunden selber finden.

In dieser Zeit hatte ich wiederholt krampfartige Schmerzen im Unterleib. Die Schmerzen waren oft so stark, dass ich weder stehen noch sitzen und mich auch im Liegen nicht stillhalten konnte. Nach einer Weile verschwanden die Schmerzen jeweils wieder. Ich dachte, es sei der Darm, der sich auf den psychischen Stress meldete, dass ich also unter einem Reizdarm litt. Ich litt in früheren Jahren schon einmal an einem Reizdarm. Einen Zusammenhang mit den Unterleibsbeschwerden, wegen denen ich monatelang mit Antibiotika behandelt worden war, sah ich nicht. Deshalb ging ich nicht sofort zum Arzt.

Eines Abends – Selim war bei mir – wurden die Schmerzen so stark, dass ich nur noch stöhnte und mich krümmte. Ich nahm ein Schmerzmittel, was ich selten tat. Als es nicht half, drängte Selim mich ein zweites Schmerzmittel zu nehmen. Nach dessen Einnahme musste ich erbrechen. Es war mitten in der Nacht, als sich Selim entschied, mit mir in die Notfallaufnahme eines nahen Krankenhauses zu fahren. Nachdem der Arzt meinen Bauchraum abgetastet hatte, bekam ich ein Schmerzmittel gespritzt. Ich konnte mich nicht ruhig halten vor Schmerzen. Der Arzt riet mir dringend gleich am nächsten Tag eine Ultraschalluntersuchung machen zu lassen.

11.
Operation

Am nächsten Tag begleitete mich Selim zum Ultraschall. Nach der Untersuchung sagte mir der Arzt, auf der linken Seite sei anstelle des Eileiters etwas Unförmiges zu sehen. Das Blutbild zeige auch, dass etwas nicht stimme. Eine sofortige Operation sei angezeigt. Ich informierte Oberst Meyer und Eduard Schuler. Beide rieten mir für die Operation in die Schweiz zu reisen. Sofort rief ich meine Schwester Lilian an, die in meiner Geburtsstadt die Wochenbettabteilung eines Krankenhauses leitete. Ich erzählte Lilian, dass ich mich so bald wie möglich am Unterleib operieren lassen müsse. Sie organisierte für mich die Aufnahme in *ihrer* Klinik. Da ich infolge meines Auslandaufenthaltes privat versichert war, bekam ich ein Einzelzimmer mit Balkon. Es war eine gute Entscheidung, für die Operation in die Schweiz zu reisen. So kam ich für einige Zeit weg von der ganzen belastenden Situation mit Selim, seiner Familie und der Botschaft.

Bei der Voruntersuchung wurde rein zufällig noch ein Knoten in der Brust entdeckt. Dieser sollte gleich auch herausgeschnitten und untersucht werden. Die Ärzte vermuteten einen Zusammenhang mit den Beschwerden im Unterleib. Die Operation dauerte ein paar Stunden. Als ich nach etlichen Stunden langsam wieder zu mir kam, erfuhr ich, dass sich im linken Eileiter ein Abszess gebildet hatte. Er war wie ein Ballon mit Eiter gefüllt gewesen. Ich hatte Glück gehabt, dass das Gebilde nicht geplatzt war. Ein halbes Jahr lang war ich immer wieder mit Antibiotika behandelt worden. Ich war weder zu einem Frauenarzt überwiesen noch untersucht worden. So viel zum damaligen Vertrauensarzt der

Botschaft. Dazu muss allerdings gesagt werden, dass es auch in der Türkei ausgezeichnete Ärzte und Kliniken gibt. Der Knoten in der Brust stellte sich als eine harmlose Zyste heraus. Es war noch einmal alles gut gegangen. Nach einigen Wochen konnte ich in die Türkei zurückreisen.

In der Botschaft und im Verteidigungsministerium brodelte unterdessen die Gerüchteküche. Es wurde gemunkelt, ich sei schwanger gewesen und für eine Abtreibung in die Schweiz gereist. Die Ärzte waren an das Arztgeheimnis gebunden. Das Arztzeugnis, das ich erhielt, war nichtssagend. Zu gerne hätte ich die Ärzte davon befreit, um den Gerüchten ein Ende zu bereiten. Das wäre wohl für einige eine große Enttäuschung gewesen. Die Menschen lieben Skandale und Verschwörungstheorien, solange sie nicht selber darin verwickelt sind.

12.

Besuch vom Geheimdienst

Ich reiste mit gemischten Gefühlen nach Ankara zurück. Einerseits freute ich mich auf meine helle Wohnung mit Ausblick über Çankaya sowie auf das Leben in Ankara und das türkische Essen. Anderseits lastete die (geheim gehaltene) Beziehung zu Selim auf meiner Brust. Er arbeitete zwar nicht mehr für die Botschaft, war aber noch verheiratet und hätte mit dem Geheimdienst zusammenarbeiten können. Ich bin sicher, er tat das nicht. Aber beweisen konnte ich es nicht.

Eines Abends sagte Selim zu mir, dass er die Möglichkeit habe, in die USA zu reisen. Im Mutterhaus der Firma, für die er arbeitete, könnte er ein mehrtägiges Seminar mit anschließender Prüfung absolvieren. Bestand er die Prüfung, erhielt er den Titel *Marketing Manager.* Er musste jedoch für Flug und Hotelunterkunft selber aufkommen. Er fragte mich, ob ich ihm mit Geld aushelfen könne. Ich gab ihm einen knapp bemessenen Kredit. Er sollte lernen, sparsamer und weniger großzügig zu sein. Wie sich später herausstellte, hatte er am letzten Tag seines Aufenthaltes in den USA kein Geld mehr, um Essen zu gehen, brachte mir aber ein Geschenk von Victoria's Secret mit. Er war und blieb zeitlebens ein großzügiger Mensch. Geiz war ihm fremd, weder anderen noch sich selbst gegenüber. Die Prüfung im Mutterhaus hatte er bestanden. Er war jetzt offiziell Marketing Manager, erhielt ein Diplom und ein entsprechendes Abzeichen. Seine Firma bot ihm die Stelle als Marketing Manager an, weiterhin auf Provisionsbasis, ohne festes Salär.

Wir verbrachten eine schöne Zeit zusammen, obwohl ich ständig befürchtete, es käme raus, dass Selim bei mir wohnte. Wie sollte er sich eine andere Unterkunft auch leisten können? Einmal hatte er versucht wieder zu seiner Familie zurückzukehren, stand aber bald wieder vor meiner Wohnungstüre.

Selim arbeitete sechs Tage die Woche. Am Sonntag hatte er frei. Dann fuhren wir jeweils mit dem roten VW Käfer aus. Manchmal fuhren wir nach Gölbaşı zum nahen See, ohne aber dabei in einem der angesagten Restaurants zu essen. Dort verkehrten nämlich die Diplomaten. Einerseits wollten wir nicht gesehen werden, anderseits war es preisgünstiger und authentischer in einem Restaurant zu essen, das vor allem Einheimische besuchten. Manchmal fuhren wir nach Elmadağ, wo Selim seinen kleinen einfachen Camping-Grill auspackte. Auf der Rückfahrt von den Sonntagsausflügen kamen wir jeweils an der bereits erwähnten Bäckerei vorbei, wo wir frisches Vollkorn-Baguette und Zimtgebäck kauften. Das Gebäck aus dieser bestimmten Bäckerei werde ich nie vergessen! Es schmeckte so gut wie kein anderes. Das und die Wohnung mit dem Rundblick oben beim Atakule von Çankaya sollten schöne Erinnerungen bleiben.

Weihnachten näherte sich. Ich plante die Feiertage in Stockholm zu verbringen. Es war eine Gelegenheit, Freunde wiederzusehen. Selim blieb zurück in meiner Wohnung. Während ich in Stockholm weilte, klingelte es eines Abends an meiner Wohnungstüre in Çankaya, wovon ich jedoch erst nach meiner Rückkehr erfuhr. Als Selim öffnete, stand er zwei Männern gegenüber. Sie wiesen sich als Mitglieder des Geheimdienstes MIT aus. Sie hatten den Auftrag, die Wohnung zu durchsuchen, fragten nach mir. Selim bewahrte einen kühlen Kopf, ließ die Männer eintreten und bot ihnen einen Kaffee an (oder Whisky?). Sie nahmen dankend an. Selim servierte ihnen Brot, Käse und Trockenfleisch.

Die Männer verrieten ihm, Selims Frau Semra habe ihn bei der Polizei angezeigt wegen seines Zusammenlebens mit mir. Deshalb seien sie hier. Selim erklärte, dass ich über Weihnachten/Neujahr verreist sei und ihn gebeten habe, in meiner Wohnung nach dem Rechten zu sehen. Deshalb halte er sich in meiner Wohnung auf. Nur gut, dass sie keine Schränke öffneten. Sämtliche Kleider von Selim befanden sich in meiner Wohnung. Die

Männer gaben sich anscheinend damit zufrieden, fragten ihn aber, ob er zu einer Zusammenarbeit mit dem Geheimdienst bereit sei. Nach all den Jahren Arbeit für den Militärattaché habe er sicher einige Informationen für sie. Wussten sie, dass er sich mit Eduard Schuler überworfen hatte? Selim lehnte freundlich, aber entschieden ab. Daraufhin fragten die Männer, ob er sich vorstellen könnte, dass ich mit ihnen zusammenarbeiten würde. Selim schüttelte den Kopf: „Sie ist als Sekretärin vom Außenministerium zu dieser Stelle gekommen. Sie interessiert sich nicht wirklich für Militärisches. Aber auch wenn sie Informationen hätte, würde sie diese nicht verraten."

Wäre ich über jene Weihnachtsfeiertage in Ankara geblieben, hätte es wohl einen Skandal gegeben. Das hatte Semra bezweckt. Sie wollte sich an Selim dafür rächen, dass er die Polizei gerufen hatte, als sie vor vielen Jahren von ihm erwischt wurde, wie sie mit einem Liebhaber Sex in einem Auto hatte. Sie hatte damals zur Polizeiwache mitgehen müssen. Diese Demütigung hatte sie nicht vergessen.

13.
Der Eklat

In der Botschaft hatte es einen Wechsel gegeben. Eine Sekretärin ließ sich an einen anderen Posten versetzen. Ihre Nachfolgerin Celine war zwar nicht besonders intelligent, aber sehr umgänglich. Ich traf mich ab und zu in der Freizeit mit ihr, anfänglich ohne Selim. Dann, als Celine eines Abends mich und einen deutschen Freund eingeladen hatte, nahm ich Selim mit. Celine wurde von Eduard Schuler ausgehorcht, was mich betraf. So kam heraus, dass ich weiterhin mit Selim verkehrte. Sofort setzte er sich mit seiner Verbündeten in der Personalabteilung des Außenministeriums in Verbindung. Sie berieten, wie sie vorgehen sollten, um mich und Selim auseinanderzubringen, und kamen wohl zum Schluss, dass der Botschafter davon erfahren sollte. Ich sollte meinen Posten verlassen und in die Zentrale zurückkehren müssen. Für Selim würden sie ein Einreiseverbot in die Schweiz erwirken.

Der Botschafter rief mich zu einem Gespräch. Er fragte mich, ob ich vorhabe, Selim zu heiraten. Ich antwortete: „Nein, das habe ich nicht vor.“ Ich erzählte ihm, dass ich eine größere Geldsumme in den Bau der Ferienwohnung gesteckt hatte, die Selim ohne meine finanzielle Hilfe verloren hätte. Bevor ich dieses Geld nicht zurückerhalten haben würde, wollte ich nicht gehen. Das bedeutete, ich musste warten, bis Selim und seine Frau die Ferienwohnung verkauften. Der Botschafter schien sichtlich erleichtert zu sein. Er meinte noch: „Es hätte mich erstaunt, wenn Sie ihn heiraten wollten. Er kann Ihnen keine Zukunft bieten. Zudem sieht er komisch aus.“ Diese letzte Bemerkung verletzte mich. Was meinte er mit *„er sieht komisch aus“*? Selim war stets sehr gepflegt.

Er achtete auf saubere Kleidung und legte Wert darauf, dass seine Schuhe glänzten. Zugegeben, er war klein und drahtig, versuchte mit dem verbliebenen Kopfhaar die Glatze zu vertuschen. Dass er in den Jahren, in denen er der Botschaft diente, oft nur wenige Stunden schlief und unregelmäßig aß, ließ ihn nicht attraktiver aussehen. Einmal – als er noch für die Botschaft arbeitete – hatte er sich mit mir in einer nahen Pizzeria zum Mittagessen verabredet. Ich wartete und wartete und wartete. Die Mittagszeit war beinahe um, als er außer Atem ankam und verkündete, der Oberst erwarte ihn in zehn Minuten zurück zum Dienst. Dieser ging natürlich davon aus, dass Selim in der Dienstwohnung sein Mittagessen einnahm – oder besser gesagt: verschlang.

Zur selben Zeit hatte sich der Flüchtlingsbeauftragte Raphael Keller in die türkische Lokalangestellte Merve verliebt. Die junge Türkin war ihm als Sekretärin zugeteilt worden. Ihre Deutschkenntnisse waren perfekt, denn sie war in Deutschland aufgewachsen. Die beiden beschlossen zu heiraten. Es ging sehr schnell. Unter den Lokalangestellten machte das Gerücht die Runde, Merve sei bereits mit einem Türken verlobt gewesen. Ihr Verlobter habe Raphael Keller gedroht, ihn umzubringen, wenn er Merve nicht schnellstens heirate. Raphael Keller musste in dieser Sache beim Botschafter vortraben. Der gab ihm zu verstehen, dass er kein gutes Beispiel für andere sei. Er – der Botschafter – sei enttäuscht, dass Raphael Keller eine türkische Lokalangestellte heirate. Esra wiederum sparte nicht mit ironischen Bemerkungen Merve gegenüber, wie „Das hast du aber schlau angestellt". Esra war eifersüchtig, dass Merve sich einen Europäer geangelt hatte und dieser sie heiratete.

Semra wurde wieder aktiv in *ihrer Sache*. Hatte Esra sie kontaktiert? Jedenfalls zeigte sich Semra wieder in der Botschaft und ließ über Esra ausrichten, ich hätte noch immer eine Affäre mit ihrem Mann. Selim habe meinetwegen seine langjährige Stelle aufgegeben und jetzt seien sie und die Kinder in Not. Das Schicksal von Selim und seiner Familie interessierte weder Eduard Schuler noch sonst jemanden in der Botschaft wirklich. Eduard Schuler ging es nur darum, dass er einen Skandal aufgedeckt hatte. Der fehlbare Selim sollte nicht ungestraft davonkommen. Eduard Schuler wurde durch diese Geschichte an seine eigene erste Ehe erinnert. Seine Frau hatte ihn wegen eines Nebenbuhlers verlassen. Er war in seinem Stolz verletzt. Dem Botschafter dagegen ging es um den Ruf der Botschaft und des Landes, das er vertrat. Das machte ihm Sorgen.

Eduard Schuler und seine Verbündete in der Zentrale sahen den Zeitpunkt gekommen, mich zurückzubeordern. Als ich vorschlug eine gleichwertige Stelle in einem anderen Land anzunehmen, bekam ich eine Absage. Ich verstand, dass man mich um jeden Preis an die Zentrale zurückversetzen wollte. In einem anderen Land hätte Selim mich besuchen können. Das war der springende Punkt. Ich war nicht bereit, in die Zentrale zurückzukehren, obwohl ich auch vom Verteidigungsministerium in Bern ein Stellenangebot erhielt. Zu diesem Zeitpunkt wusste ich noch nicht, dass Eduard Schuler mit der Personalverantwortlichen unter einer Decke steckte. Ich schrieb dieser einen Brief, in dem ich auch erwähnte, wie viele Diplomaten mit Ausländern verheiratet waren, zum Beispiel Eduard Schuler mit einer Asiatin – in zweiter Ehe. Das erfuhr er natürlich sofort. An seiner Reaktion erkannte ich, dass er mit der Personalangestellten gemeinsame Sache machte. Jetzt war für mich alles sonnenklar.

Ich reichte die Kündigung ein. Der Botschafter machte sich Sorgen um meine Zukunft und sagte mir das auch. Auf dem Arbeitsmarkt sah es gerade nicht sehr rosig aus. Ich antwortete ihm, dass ich mich nicht strafversetzen lassen wolle. Mein Stolz war größer als eine mögliche Existenzangst. Ich plante in der Türkei zu bleiben. Selim war hocherfreut über den Lauf der Dinge, Semra weniger. Sie übte Druck aus. Über Selim ließ ich ihr ausrichten, ich wolle das Geld zurück, das ich in die Ferienwohnung gesteckt hatte.

14.
Selim lässt sich scheiden

Semra war bereit, sich von Selim scheiden zu lassen. Sie stellte jedoch die Bedingung, dass er ihr die Ferienwohnung überließ, was bedeutete, dass ich meine Einlage verlor. Selim ließ sich von seinem ehemaligen Schulfreund Okan beraten, der von Beruf Rechtsanwalt war. Okan riet ihm davon ab, Semra die Ferienwohnung zu überlassen. „Du musst ihr nur die Hälfte geben. Warum willst du ihr alles überlassen?“, wandte Okan ein. Selim wollte sich so schnell wie möglich scheiden lassen. Deshalb überließ er Semra die Ferienwohnung. Damit war Semra aber noch nicht zufrieden. Sie wollte auch seinen roten VW Käfer haben und willigte erst in die Scheidung ein, als sie diesen auch bekam.

Jetzt gab es in materieller Hinsicht nichts mehr, was sie ihm noch nehmen konnte. Zuerst hatte er die neuen Haushaltgeräte mit einem Teil seiner Abgangsentschädigung bezahlt. Jetzt bekam sie die Ferienwohnung, für die er viele monatliche Beiträge geleistet hatte – und in der zudem ein größerer Geldbetrag von mir steckte. Verblieben war Selim noch der VW Käfer. Auch den bekam sie. Selim machte sich Sorgen, wie Semra die Ferienwohnung würde halten können, mit welchem Geld würde sie die restlichen noch zu leistenden Beiträge und danach die monatlichen Zahlungen für Nebenkosten bezahlen? Er bot an, die Wohnung für sie verkaufen zu lassen und ihr zu helfen, eine Wohnung in Ankara zu erwerben. Davon wollte Semra nichts wissen. Sie vertraute ihrem Onkel und Schwager mehr als Selim. Die beiden versicherten, sie würden ihr helfend unter die Arme greifen.

Nach der Scheidung stand Selim mit leeren Taschen da. Auch den ganzen Hausrat mit allen Anschaffungen, die er über die Jahre gemacht hatte – darunter nicht wenige Gegenstände, die er auf Dienstreisen in Syrien, Jordanien und dem Iran erstanden hatte –, überließ er Semra. Er war bereit, bei null anzufangen. Dachten Semra und Selim bei dieser Lösung auch nur eine Minute an die Zukunft ihrer 21-jährigen Tochter und des 15-jährigen Sohnes? Sie hätten wissen müssen, dass es in der Türkei üblich ist, seinen Kindern bei der Heirat finanziell unter die Arme zu greifen. Anstelle der neuen Haushaltsgeräte hätten sie besser daran getan, Geld – oder Gold – für diese zukünftigen Ereignisse beiseitezulegen. Zudem musste Semra selber dafür einstehen, dass sie später beim Wohnungsverkauf über den Tisch gezogen wurde und alles verlor, hatte sie doch die ihr von Selim angebotene Hilfe ausgeschlagen.

Nachdem ich meine Stelle beim Außenministerium gekündigt hatte, blieb die Frage, was ich danach tun sollte. Eduard Schuler sprach mich darauf an und fügte warnend hinzu, dass ich nicht ohne Visum in der Türkei würde bleiben können und zudem nur für drei Monate ein Visum erhalte. Selims Vorschlag war, dass ich nach Ablauf der Visumsfrist das Land kurz verlassen und dann ein neues Visum beantragen könnte. Als er dann aber so schnell geschieden wurde, weil er seiner Frau bis auf den letzten Penny alles überlassen hatte, bat er mich, ihn zu heiraten. Das Problem mit dem Visum wäre gelöst. Zudem konnten wir gemeinsam nach Istanbul ziehen und dort eine Firma eröffnen. Er habe mit seinem Arbeitgeber bereits darüber gesprochen, in Istanbul autorisierter Verteiler des Luft- und Reinigungsgerätes Waterfall zu werden. Eine Heirat hatte ich nicht geplant. Aber es würde wohl alles leichter machen. Ich fühlte mich zudem Selim gegenüber schuldig. Er hatte meinetwegen alles aufgegeben.

15.

Heirat in Ankara

Wir planten die Heirat. Es ging alles blitzschnell. Da ich in Ankara heiraten wollte (wo sonst), lief die Administration der Papiere über die Botschaft. Von Eduard Schuler konnte ich keine Hilfe erwarten. Im Gegenteil: Hätte er etwas von den Heiratsplänen gewusst, hätte er mir alle erdenklichen Steine in den Weg gelegt. Sein Mitarbeiter, Michael Hefti, bot mir seine Hilfe an. Eduard Schuler erfuhr erst davon, als die Eheschließung über die Botschaft in die Heimat gemeldet wurde. Ich war zu diesem Zeitpunkt gleichzeitig Ehefrau von Selim und Angestellte des Außenministeriums. Eduard Schuler war verärgert und hätte die Eheschließung am liebsten für ungültig erklärt. Auch der Botschafter hatte keine Freude an der Neuigkeit, wenn auch aus anderen Gründen als Eduard Schuler, dem es nur darum gegangen war, Selim und mich für immer zu trennen.

An unserer Hochzeit waren Michael Hefti und seine Frau Anna sowie Raphael Keller und Merve Gäste. Trauzeugen waren die Zahnärztin Nurgül – Selim kannte sie seit Längerem und auch ich war bei ihr in Behandlung gewesen – sowie Ismail – der Inhaber der Firma Waterfall, für die Selim arbeitete. Weiter waren die mehrheitlich jungen Arbeitskollegen von Selim dabei.

Auf dem Standesamt waren außer dem Beamten nur ich, Selim und die Trauzeugen anwesend. Danach gab es in einem Lokal in Çankaya eine kleine Feier. Es waren keine Verwandten dabei – von keiner der beiden Seiten. Sah man mir an, dass ich keine glückliche Braut war? Gestrahlt vor Freude habe ich sicher nicht. Das übernahm Selim für mich. Ich erinnere mich, wie stark ich im Coiffeur-Salon geschminkt worden war. Ich fand, ich sah aus wie eine Puppe. Ich hatte kein weißes Brautkleid gewollt, war einen Kompromiss eingegangen und hatte mir ein bodenlanges Kleid aus glänzendem rosa Stoff anfertigen lassen. Obwohl ich für Selim tiefe freundschaftliche Gefühle hegte, war es für mich eine Zweckehe. Ich plante ihn zu verlassen, sobald er ein finanzielles Polster angelegt haben würde. Nie hätte ich gedacht, dass die Ehe mehr als zwanzig Jahre dauern würde.

Kurze Zeit nach unserer Hochzeit wurde das Opferfest gefeiert. Selim traf sich mit Tochter Ayshe und Sohn Cem. Sie baten ihren Vater um Taschengeld. Nachdem sie gegangen waren, erinnerte ich Selim daran, dass er erst gerade alles bis auf den letzten Cent seiner Exfrau für sie und die Kinder hinterlassen hatte. Selim antwortete: „Sie sind noch Kinder. Sie verstehen nichts davon. Außerdem denken sie, du seiest reich und ich sei das jetzt auch, da ich dich geheiratet habe." Ich ärgerte mich über diese Antwort. Ich konnte zwar verstehen, dass der 15-jährige Sohn dachte, sein Vater habe eine reiche Ausländerin geheiratet. Aber die 21-jährige Tochter wusste ganz genau, wie ihre Mutter den Vater ausgenommen hatte – hatte sie doch die Mutter dazu angestiftet.

Oberst Meyer musste ein paar Monate ohne Sekretärin auskommen, nachdem mein Arbeitsvertrag auslief. Die Personalverantwortliche für Sekretärinnen im Außenministerium und Verbündete von Eduard Schuler wollte ihn damit wohl bestrafen. Ich zog nicht mehr alle Ferientage ein, die mir zustanden. Auch bezahlte ich meinen Umzug von Ankara nach Istanbul selber. Im Falle einer (Straf-)Rückversetzung in die Zentrale wäre das Außenministerium für die Umzugskosten aufgekommen. Das Außenministerium konnte also an mir sparen.

16.

Umzug nach Istanbul

Selim war vorausgegangen nach Istanbul, um sich nach Geschäftsräumlichkeiten und einer Mietwohnung umzusehen. Ich hatte mir größere Summen von meinem Ersparten nach Ankara überweisen lassen. Als angehender Geschäftsmann brauchte Selim einen Personenwagen. Ich gab meine Zustimmung zu einem Hyundai. Für Wohnung und Geschäftsräumlichkeiten mussten die ersten Mietzinse bezahlt und eine Sicherheit hinterlegt werden. Dazu kam noch die Überweisung für eine Anzahl Reinigungsgeräte, die Selim aus Ankara bezog.

Semras jüngere Schwester Hülya wohnte mit Ehemann Burhan und ihren zwei Kindern, dem damals achtjährigen Sohn Zafer und der sechsjährigen Tochter Handan, auf der europäischen Seite von Istanbul, im Viertel Levent (gehört zum Stadtteil Beşiktaş auf der europäischen Seite von Istanbul). Burhan beharrte darauf, dass Selim bei ihnen wohnte, bis er Wohn- und Geschäftsräumlichkeiten gefunden hatte. Dass er das Angebot annahm, sollte Selim später oft bereuen.

Obwohl Selim jeden Abend etwas für die Familie mitbrachte, zum Beispiel eine Torte aus einer teuren Konditorei, schien er danach für immer in der Schuld von Burhan und Hülya zu stehen. Was Burhan von Beruf war, blieb mir ein Rätsel. Den Wohnblock, in welchem er mit seiner Familie eine Wohnung bewohnte, hatte er erstellen lassen. Jetzt besaß er noch die eine Wohnung, die er mit seiner Familie bewohnte. Zudem besaß Burhan ein kleines Büro, ebenfalls im Viertel Levent. Was er dort den ganzen Tag machte, wusste nur er. Er gab sich als Bauherr aus. Viel später – als der Familie manchmal sogar das Geld für Essen fehlte – erzählte mir Selim von Burhans Spielsucht. Burhan war ungefähr zwanzig Jahre älter als Hülya. Als er Hülya, die damals in der Stadtverwaltung arbeitete, kennenlernte, war er noch mit seiner ersten Frau verheiratet. Als Hülya Burhan heiratete, gab sie ihre sichere Arbeitsstelle auf, da sie glaubte, eine gute Partie gemacht zu haben.

Selim fand für uns eine Mietwohnung in einer damals neueren Siedlung in Yeni Levent. Nur ungefähr zehn Fahrminuten entfernt fand er Büroräumlichkeiten zur Miete (beides im Stadtteil Beşiktaş). Er stellte eine Putzfrau und einen Mitarbeiter für den Service der Reinigungsgeräte ein. Zudem suchte er Studenten, welche das Reinigungsgerät bei Bekannten vorführen und verkaufen sollten. Immerhin wartete pro Gerät eine Prämie von 150 bis 200 US-$. Mein Hab und Gut wurde verpackt und einer Umzugsfirma übergeben, die es nach Istanbul brachte. Selim holte mich in Ankara ab. Damit begann ein neues Kapitel in meinem Leben.

Selim arbeitete viel. Er schulte die jungen Leute, die sich meldeten, um in ihrer Freizeit Vorführungen zu machen. Daneben machte er selber Vorführungen. Es war nicht so einfach, da er in Istanbul wenige Kontakte hatte. Sein älterer Bruder Erhan wohnte mit Familie auf der asiatischen Seite von Istanbul. Da sie einfache Leute waren – Erhan war Handwerker –, konnten sie ihm keine potenziellen Käufer vermitteln. Ihre bildhübsche Tochter Bahar – braunhaarig, braunäugig, schlank und mit schönem Teint – hatte kurz zuvor mit knapp 21 Jahren geheiratet. Sie hatte in derselben Fabrik als Mitglied des Reinigungsteams gearbeitet, in welcher ihr Bräutigam Mert als Elektriker angestellt war. Wir waren zu ihrer Verlobung und zur Heirat eingeladen. Zu ihrer Verlobung trug Bahar ein kurzes Kleid, das ihre Mutter Emine selber angefertigt hatte. Es hatte mich erstaunt, dass Emine einem kurzen Kleid zugestimmt und dieses sogar angefertigt hatte, trug sie selber doch ein Kopftuch.

Emine akzeptierte mich sofort. Sie hatte immer ein Lächeln in ihrem liebenswerten runden Gesicht. Anders verhielt es sich bei meiner Schwiegermutter Hatice. Sie konnte sich nicht damit abfinden, dass ich als Christin und Europäerin mit Selim zusammen war. Dass Semra – als Muslima – mit verschiedenen Männern Affären gehabt hatte, rauchte und Alkohol trank, änderte nichts an der Einstellung Hatices mir gegenüber.

Es war nicht zu übersehen, wie verliebt Bahar war. Mir gefiel, dass Bahar trotz ihrer Schönheit bescheiden geblieben war. Sie hatte ja auch als Putzkraft arbeiten müssen, stand deshalb mit beiden Beinen im Leben, im Gegensatz zu Ayshe. Bahar wurde gleich nach der Hochzeit schwanger. Sie und Mert waren erst anfangs 20. Ich hätte es Bahar und Mert gegönnt, wenn die beiden mit dem Kinderkriegen ein wenig gewartet hätten. Ihre gemeinsame Tochter war noch ein Baby, als Mert zu Selim sagte: „Die Liebe ist nicht beständig. Sie geht vorbei." Das fand ich sehr schade. Ich hoffe, Mert hat den Unterschied zwischen Verliebtheit und Liebe inzwischen verstanden.

Zu meiner Erleichterung trank Selim, nachdem wir nach Istanbul gezogen waren, deutlich weniger und seltener Alkohol, als er das in Ankara getan hatte. Ab und zu gönnte er sich zum Apéro einen Whisky. Er trank ein wenig Raki (Anisschnaps), wenn wir sonntags auswärts aßen – meistens in einem Lokal am Bosporus. Mir schmeckte der Raki nur sehr stark verdünnt, wenn nicht mehr viel vom Alkohol zu spüren war.

Selim liebte Istanbul, vor allem den Bosporus. Ankara schien er nicht zu vermissen, seine Kinder schon. Deswegen war er auch sehr besorgt, als die Wohnung in Ankara, die er für seine Familie gemietet hatte, gekündigt wurde. Von den Vermietern erfuhr er, die Nachbarn hätten sich beschwert, weil seine Exfrau Semra offenbar wechselnden Männerbesuch hatte. Sie schickte die *Kinder* während des Sommers nach Kuşadası in die inzwischen fertiggestellte Ferienwohnung, die sie möbliert hatte. Geld gab sie den *Kindern* keines mit, obwohl Selim ihr den monatlichen Unterhalt für diese überwies. Da er ihr bei der Scheidung alles, was er besessen hatte, überlassen hatte, schuldete er ihr keinen Unterhalt. Zudem hatte sie immer gearbeitet und sich ebenfalls vor ein paar Jahren pensionieren lassen. Sie erhielt eine Altersrente. Von Ayshe und Cem erfuhr Selim, dass Semra zudem neuerdings im Marketing tätig war.

17.

Ferienwohnung in Kuşadası geht den Bach runter

Selim war der Meinung, der Zeitpunkt sei gekommen, die Ferienwohnung zu veräußern und in Ankara eine Wohnung zu kaufen. Semra schien inzwischen auch dieser Meinung zu sein. Sie schrieb die Wohnung zum Verkauf aus. Eines Tages rief sie Selim an und beschwerte sich über Ayshe. Meldeten sich Interessenten für die Wohnung in Kuşadası telefonisch, wenn Semra nicht da war, sagte Ayshe am Telefon, es handle sich um einen Irrtum. Die Wohnung stehe nicht zum Verkauf. Sie sagte ihrer Mutter ins Gesicht, die Ferienwohnung werde nicht verkauft, da sie und ihr Bruder Mitbesitzer seien.

Auf dem Papier war Semra alleinige Besitzerin. Sie konnte die Wohnung sehr wohl verkaufen. Leider machte sie dabei einen großen Fehler. Sie verkaufte die Wohnung an einen Interessenten, ohne Selims Hilfe anzunehmen. Der Mann zog sie über den Tisch. Er lud sie zu einem Nachtessen ein, unterschrieb einen Schuldschein und machte eine Anzahlung. Auf seinen Wunsch überschrieb sie ihm die Ferienwohnung, obwohl sie erst eine Anzahlung erhalten hatte. Daraufhin verkaufte er die Wohnung weiter und verschwand auf Nimmerwiedersehen.

Der Käufer hatte eine ungültige Adresse angegeben. Er war und blieb verschwunden. Als Semra merkte, dass sie betrogen worden war, wandte sie sich an einen Rechtsanwalt. In einem Gerichtsverfahren wurde geprüft, ob der Weiterverkauf gültig war. Das Gericht verfügte, dass die neuen Eigentümer die Wohnung rechtmäßig erstanden hatten. Semra hatte das Nachsehen. Außer einer Anzahlung blieb ihr nichts mehr von all dem Geld, das über die Jahre in das Projekt geflossen war. Dafür konnte Selim nun wirklich nichts! Ayshe ärgerte sich über ihre Mutter – suchte den Fehler natürlich nicht bei sich –, machte sich aber auch Sorgen, die Mutter könnte sich etwas antun, denn diese schloss sich tagelang in ihrem Zimmer ein.

Ayshe wollte arbeiten, um Geld zu verdienen. Sie bat Selim, ihr eine Stelle als Sekretärin zu besorgen, obwohl sie keine entsprechende Ausbildung gemacht hatte. Sie wollte auch nicht nach Istanbul umziehen, sondern in Ankara bleiben. Selim konnte durch Beziehungen eine Stelle für sie finden. Allzu lange blieb sie dort nicht. Sie kündigte die Stelle, weil ihr etwas nicht passte. Selim fand eine weitere Stelle für sie, an der sie wieder nicht allzu lange blieb. Selim bemühte sich wieder, für seine Tochter eine Sekretariatsstelle zu finden. Er kannte die Sekretärin der Geschäftsleitung einer großen Holdinggesellschaft in Istanbul. Diese Frau setzte sich dafür ein, dass für Ayshe eine Stelle gefunden wurde, jedoch in Istanbul. In Ankara konnte ihr diese Firma keine Stelle anbieten. Ayshe wollte aber in Ankara bleiben. An diesem Punkt war ich der Meinung, Ayshe sollte sich bei einer großen Supermarkt-Kette in Ankara melden. So würde sie eine langfristige Stelle finden, wenn auch nicht als Sekretärin. Sie würde an der Kasse arbeiten oder Gestelle auffüllen müssen. So weit kam es nicht. Ayshe war nicht bereit eine Arbeit zu verrichten, die niedriger war als die einer Sekretärin.

Ayshe sagte, sie wolle ihre Mutter und den Bruder nicht verlassen, weshalb sie in Istanbul keine Stelle annehmen könne. Sie wollte aber zu Besuch kommen. Sie hatte eine Überraschung für ihren Vater. Die Überraschung entpuppte sich als ihr Freund Mehmet. Die beiden hatten sich in Kuşadası kennengelernt. Mehmets Familie gehörte eine der Ferienwohnungen derselben Siedlung, in der bis vor Kurzem auch Ayshe mit ihrem Bruder Cem die Ferien verbracht hatte. Das war, als die Wohnung noch ihrer Mutter gehört hatte.

Mehmets Familie wohnte ebenfalls in Ankara. Sein Vater besaß ein Juweliergeschäft, in welchem die älteren drei Söhne – Mehmets Brüder – arbeiteten. Mehmet hatte sich in Ayshe verliebt. Er war gleich alt wie Ayshe, hatte weder einen Berufsabschluss noch Militärdienst geleistet. Jetzt wollte er bei Selim um die Hand von Ayshe anhalten, obwohl seine Eltern gegen die Verbindung waren. Selim war nicht beeindruckt. Warum kamen Mehmets Eltern nicht mit? Sie sollten um die Hand von Ayshe anhalten. Und wie wollte Mehmet eine Familie ernähren. Konnten mehrere Familien vom Juweliergeschäft leben? Mehmet und Ayshe reisten zurück nach Ankara – ohne Selims Zustimmung zur Heirat.

18.

Betrogen um zehn Reinigungsgeräte

Inzwischen gab es in Istanbul noch zwei weitere Zweigstellen der Firma Waterfall. Serdar und Erkan, zwei junge ehemalige Mitarbeiter Selims aus Ankara, eröffneten kurz nach Selim eine Zweigstelle auf der asiatischen Seite der Metropole. Die beiden waren noch jung – zwischen Mitte zwanzig und Anfang dreißig. Sie fanden ohne Mühe Studenten und andere junge Leute, die bereit waren, auf Provisionsbasis für sie zu arbeiten. Sie verstanden es, diese jungen Leute mit Partys zu motivieren. Serdar und Erkan waren beim Empfang dabei gewesen, den wir anlässlich unserer Heirat gegeben hatten. Solange Selim, Serdar und Erkan zusammen in Ankara arbeiteten, hatten sie sich gut verstanden. Jetzt waren die beiden unsere Konkurrenten.

Eine dritte Zweigstelle befand sich nicht unweit der unsrigen auf der europäischen Seite von Istanbul. Koray führte diese. Er war ein Freund von Ismail, dem Mitbegründer der Firma Waterfall in Ankara. Mit Koray hatten wir nie Probleme. Er war ehrlich und hatte ein gesundes Selbstvertrauen – kein übersteigertes. Als er einmal zu wenige Maschinen hatte und nicht auf die Lieferung aus Ankara warten konnte, holte er sich einige aus unserem Lager. Ich bereitete eine Quittung vor, die er unterzeichnete. Er bezahlte die Maschinen und wir bekamen dieselbe Anzahl aus Ankara geliefert.

Anders erging es uns mit Serdar und Erkan, ob sie das nun planten oder nicht. Es spielte sich folgendermaßen ab: Selim erhielt eines Tages einen Anruf von Erkan, dem Jüngeren der beiden. Sie luden ihn zu einer Motivationssitzung ein, die noch am selben

Tag stattfand. Selim freute sich sehr. Er vermisste männliche Freunde. Voller Elan kam er später zurück. Er habe einiges von den beiden lernen können, meinte er. Nach der Sitzung hätten sie gefragt, ob er ihnen zehn Maschinen ausleihen könne. Es fehlten ihnen Geräte, um geplante Vorführungen mit Aussichten auf Verkauf zu tätigen.

Es war Abend geworden. Ich überließ Selim die Entscheidung, ohne mich weiter darum zu kümmern. Das war ein Fehler. Selim ließ zehn Maschinen per Taxi – zwei Taxis brauchte es dazu – zur Zweigstelle von Serdar und Erkan bringen. Nicht nur, dass er die Taxikosten übernahm! Wie sich später herausstellte, wurde uns weder der bezahlte Preis für diese Maschinen zurückerstattet noch erhielten wir zehn neue Maschinen. Dies obwohl Selim sofort in Ankara angerufen und dem zuständigen Lageristen die Nummern der weitergereichten Maschinen mitgeteilt hatte. Selim merkte es erst erheblich später, als wir eines Tages nicht genug Geld hatten, um wieder Geräte zu bestellen. Ismail ließ nämlich erst nach Eingang der Bezahlung liefern.

Nun erinnerte sich Selim an die zehn Maschinen, die er an Serdar und Erkan weitergereicht und welche uns weder ersetzt noch bezahlt worden waren. Er sprach Ismail darauf an. Dieser sagte, das Geld für die zehn Maschinen müssten wir uns bei Serdar und Erkan holen. Serdar und Erkan jedoch waren zu jenem Zeitpunkt pleite. Sie hatten ihr Geschäft an Ismail verloren, nachdem sie beträchtliche Schulden bei ihm hatten. Der Ball wurde hin und her gespielt. Ismail beharrte darauf: „Selim, du musst dir das Geld bei Serdar und Erkan holen. *Sie* haben die Maschinen von dir erhalten, nicht ich." Serdar und Erkan wandten ein: „Ismail hat unsere Firma übernommen. Also schuldet er dir die zehn Maschinen."

Eines Tages, nachdem Selim beharrlich am Ball geblieben war, erklärte sich Erkan bereit, zusammen mit Selim bei Ismail vorzusprechen. Sie trafen sich in einem Restaurant am Bosporus auf der asiatischen Seite von Istanbul. Selim besaß inzwischen einen Waffenschein und eine Pistole. Er zückte seine Schusswaffe, um von Ismail ein Einverständnis zu erzwingen. Dieser versprach – aus Angst, Selim könnte abdrücken – zehn Maschinen zu liefern. Ismail hielt sich jedoch nicht an sein Versprechen – wen wundert das? Mich nicht! Geld macht durstig. Wer viel hat, will immer mehr davon haben. Ismail ließ sich auf kein weiteres Treffen mit Selim ein. Nach diesem Vorfall hatte er stets einen Bodyguard bei sich.

19.

Wechsel in einen anderen Stadtteil von Istanbul

Eines Tages – wir waren seit ungefähr zwei Jahren in Istanbul – erwähnte Selim mir gegenüber, dass er plane, in Yeşilköy (wörtlich übersetzt: Gründorf oder grünes Dorf) eine zweite Geschäftsstelle zu eröffnen. Er erhoffe sich dort bessere Geschäfte, das heißt mehr Verkäufe, da es dort etliche Siedlungen gibt, in denen sich nur Wohlhabende eine Wohnung leisten können. Und es gab keinen Konkurrenten in unmittelbarer Nähe. Auch würde er dort eher Studenten finden, die bereit waren, als Verkäufer für uns zu arbeiten. Wie bereits ausgeführt, waren wir nicht die einzigen in Istanbul, die dasselbe Gerät verkauften. Serdar und Erkan, die ihr Geschäft auf der asiatischen Seite von Istanbul betrieben, waren beide jung, hatten es damit leichter, junge Leute – vor allem Studenten – anzuwerben, die für sie arbeiteten. Mehr junge Leute bedeuteten mehr Vorführungen und mehr Verkäufe, und das im ganzen Raum Istanbul.

Selim fand Büroräumlichkeiten und eine Wohnung in Yeşilköy. Die Wohnung im Yeni Levent kündigten wir und zogen nach Yeşilköy. Von der neuen Wohnung aus erreichten wir zu Fuß in zehn bis fünfzehn Minuten das neu gemietete Büro. Selim sagte mir, ich würde jeden Tag am Meer entlang spazieren gehen können. Zudem gab es einen großen Wochenmarkt in Yeşilköy, der in ganz Istanbul bekannt war für seine Vielfalt und Qualität.

Selim hatte vorgehabt, die Büroräumlichkeiten in Beşiktaş zu behalten. Doch die Eigentümerin meldete just zu jenem Zeitpunkt Eigenbedarf an, als Selim den Mietvertrag für die zweiten Büroräumlichkeiten unterzeichnet hatte. Davon sagte er ihr aber nichts. Sie bezahlte uns eine nette Summe als Abfindung und wir gaben ihr die Räumlichkeiten zurück. Im Endeffekt war das besser für uns. So konnten wir uns die eine Miete sparen.

Es gefiel mir in Yeşilköy. Das Haus, in welchem wir eine Mietwohnung gefunden hatten, war zentral gelegen. Es war jedoch ein etwas älteres Haus. Es gab keinen Lift. Wir mussten alles in den zweiten Stock hochtragen. Oft fiel die Stromversorgung für Stunden aus, manchmal sogar für Tage. Weil ich einen elektrischen Herd hatte, konnte ich dann nicht kochen. Im Kühlschrank verdarben Fleisch und Milchprodukte. Und weil die Wasserpumpe elektrisch betrieben war, kam nach einiger Zeit auch kein Wasser mehr aus den Leitungen. Wir hatten immer einige Behälter mit Wasser auf Vorrat, für die Katzenwäsche und die Toilettenspülung.

Wäre ich einer beruflichen Beschäftigung nachgegangen, wäre der Alltag beschwerlich geworden. Ich hatte vom Konsulat eine Anfrage erhalten, ob ich an einer Stelle interessiert sei. Aus verschiedenen Gründen kam das für mich nicht infrage. Das Gehalt wäre als Lokalangestellte wahrscheinlich mager gewesen. Dafür hätte ich mich täglich zweimal durch den Großstadtverkehr kämpfen müssen. Es gab damals noch keine U-Bahn in Istanbul. Zudem war für mich klar, dass ich nicht mein ganzes zukünftiges Leben in Istanbul verbringen würde.

In unserer unmittelbaren Nähe in Yeşilköy gab es eine Strandpromenade am Marmarameer, kleine Geschäfte, Restaurants, Haltestellen für Linienbusse und Dolmuş[3] (Aussprache: Dolmusch). Wir hatten alles und kamen uns vor wie in einer Kleinstadt. Wie bereits erwähnt, war am Mittwoch jeweils Wochenmarkt. Er erstreckte sich über etliche Nebenstraßen von Yeşilköy und war in ganz Istanbul bekannt. Er war praktisch vor unserer Haustür. Selim kaufte mir einen Einkaufstrolley für die Touren auf dem Wochenmarkt. Ein Migros Supermarkt war auch in unmittelbarer Nähe. Zudem machte die Hauswartin zweimal täg-

3 Sammeltaxi in Form eines Kleinbusses

lich Einkäufe. Frühmorgens brachte sie Zeitungen und frisches Brot. Etwas später klingelte sie an jeder Wohnungstüre, um Bestellungen entgegenzunehmen. Am frühen Nachmittag klingelte sie noch einmal an allen Türen, um wieder Einkaufswünsche entgegenzunehmen.

Ich pflegte Kontakt zu einer Nachbarin, die zwei Stockwerke über uns in der Dachwohnung wohnte. Sevim hatte mit Mann und Sohn in Berlin gelebt, bevor sie die Wohnung in Yeşilköy kauften. Sevims Sohn studierte an einer Universität in Istanbul. Sevim und ihr Mann wechselten zwischen Berlin und Istanbul hin und her. Eigentlich ist das die perfekte Lösung für jemanden, der entweder freiberuflich arbeitet oder pensioniert ist.

Selim zog es vor, dass ich nicht mehr aktiv in der Firma mitarbeitete, obwohl ich Teilhaberin war. Die große Verliebtheit war wohl verflogen. Irgendwann verschwand auch mein Bild von seinem Schreibtisch. Ich überlegte mir, wie ich mich nebst dem Haushalt beschäftigen wollte. Ich belegte Kurse, trat dem International Women's Club bei. Dort lernte ich Frauen verschiedener Nationalitäten kennen, die entweder ihrem Ehemann in die Türkei gefolgt waren oder hier arbeiteten. Sonntags führte mich Selim meistens zum Essen aus. Die Strandpromenade in Yeşilköy war an Sonntagen übervölkert. Ich zog es vor, wochentags an den manchmal fast menschenleeren Strand zu gehen. Oft fuhren wir am Sonntag an den Bosporus und aßen in einem Fischrestaurant. Ein paarmal fuhren wir auch ans Schwarze Meer. Diese Sonntagsausflüge blieben mir in lieber Erinnerung.

Ich rechnete nicht damit, Mutter zu werden. Mehr als ein Arzt hatte mir beschieden, falls ich je Kinder möchte, würde das nicht einfach werden. Ohne Hormonkur könne ich das vergessen. Gut ein Jahr nachdem ich den einen Eileiter verloren hatte, wurde ich am zweiten operiert. Was genau das Problem war mit meinem verbliebenen Eileiter, weiß ich bis heute nicht. Ich weiß nur, dass zwei Ärzte unabhängig voneinander dieselbe Diagnose stellten und unbedingt zur Operation rieten. Ohne baldige Operation würde ich den zweiten Eileiter auch verlieren, hieß es. Ich hatte Glück. Der zweite Eileiter blieb mir erhalten.

Trotzdem war der Arzt in Istanbul, der mich operiert hatte, der Ansicht: Ohne Hormonkur könne ich nicht schwanger werden. Das war mir egal – dachte ich. Ich sagte mir selber, die Umstände seien nicht die richtigen, um ein Kind in die Welt zu setzen. Selim wäre ein älterer Vater und unsere Beziehung war wegen der Vorgeschichte zu kompliziert. Immer öfter fühlte ich mich traurig. Die innere Uhr tickte. Ich wurde nicht jünger. Indem ich mit Selim zusammen war, nahm ich mir die Möglichkeit, mit einem gleichaltrigen Mann eine Familie zu gründen. Aber ich wollte ihn nicht im Stich lassen, nachdem er sein früheres Leben wegen mir aufgegeben hatte.

Anfangs 1995, nach einem Winterurlaub in Tirol, fühlte ich mich besonders niedergeschlagen. Ich dachte darüber nach, dass ich mit gut 35 Jahren noch nicht zu alt war, um Mutter zu werden. Unter anderen Umständen wäre ich vielleicht inzwischen Mutter geworden. Mein Zyklus war seit einem Jahr regelmäßig. Diesmal ließ er auf sich warten. Die Tage vergingen, ohne dass die erwartete Blutung einsetzte. Ich bemerkte, dass meine Brüste größer geworden waren. War es möglich, dass ich schwanger war? Es beschlichen mich gemischte Gefühle. In meiner Situation schwanger zu werden, hatte ich mir nicht wirklich gewünscht. Aber offensichtlich war mein Wunsch im Unterbewusstsein da. Er war groß genug, dass ich auf jegliche Verhütung verzichtete und mir sagte, dass ich eh nicht schwanger werden könne.

Nach einigen Tagen holte ich mir einen Test aus der Apotheke. Der war positiv. Meine Gefühle waren noch immer gemischt, aber *nie* dachte ich auch nur im Entferntesten an einen Schwangerschaftsabbruch. Ich konnte es kaum glauben, dass in mir ein Leben zu wachsen begonnen hatte. Selim gegenüber war ich launisch. Er dagegen freute sich noch einmal Vater zu werden. Nach ein paar Wochen nahm ich den ersten Kontrolltermin in der nahen Privatklinik war. Die Ärztin war jung und selber bereits Mutter. Sie fragte mich, warum ich nicht gleich, als ich die Schwangerschaft bemerkte, zu einer Untersuchung gekommen sei. Ob ich das Kind nicht wolle, da es sich in meinem Alter um eine Risikoschwangerschaft handle. Ich sagte ihr, dass ein Schwangerschaftsabbruch für mich nicht infrage käme. Ich fühlte mich fit und keineswegs zu alt, um ein Kind zu gebären. Diese Ärztin gab mir später recht. Schwangerschaft und Geburt waren unkompliziert. Irgendwann in den ersten Monaten machte ich einen Bluttest, um das Risiko für eine Missbildung abschätzen zu können. Dieses Risiko war gemäß Testergebnis nicht höher als bei einer Zwanzigjährigen.

Ich hatte monatliche Kontrolltermine mit Ultraschall bei der Ärztin. Zudem besuchte ich die Schwangerschaftsgymnastik, welche die Klinik neuerdings anbot. Schwangerschaftsgymnastik war zu jener Zeit in der Türkei noch nicht üblich. Eines Tages kam ein Kamerateam eines Fernsehsenders, um uns während der Gymnastik zu filmen und danach zu interviewen. Ich stellte gleich klar, dass ich vor der Kamera nicht sprechen wollte. Filmen durften sie mich. Leider habe ich die Ausstrahlung im Fernsehen verpasst. Emine (Schwägerin) und Bahar (Nichte von Selim) erzählten mir später, dass sie mich im Fernsehen gesehen hatten.

Die Schwangerschaft erlebte ich als eine glückliche Zeit. Ich hatte Kontakt mit den anderen Frauen aus der Schwangerschaftsgymnastik. Eine von ihnen fragte mich eines Tages, ob ich vorhätte, mein Baby auf natürliche Art zu gebären. Ja, das hatte ich vor. Ob ich denn keine Angst habe, in meinem Alter zu gebären, wollte sie wissen. Ich war sehr erstaunt. War ich mit 36 Jahren zu alt, mein Kind natürlich zu gebären? Zudem wirkte ich fit und wurde regelmäßig jünger geschätzt!

Mein Bauch begann sich sehr schnell zu wölben und gegen Ende der Schwangerschaft schob ich eine Riesenkugel vor mir her. Ich hatte nur am Bauch zugenommen. Arme und Beine waren schlank wie zuvor. Ich bewegte mich auch wie zuvor. Jedenfalls kam mir das so vor. Ich hatte auch keine Mühe mit dem täglichen Treppensteigen zu unserer Wohnung. Sogar die Einkäufe trug ich ohne Mühe hoch.

Als ich im sechsten Monat schwanger war, bestellte Feride ein Reinigungsgerät von Selim. Da Feride aber noch keiner Vorführung beigewohnt hatte, sollte ihr jemand das Gerät und seine diversen Einsatzmöglichkeiten – Staubsauger für Teppiche, harte

Böden, Möbel, Matratze sowie Luftreiniger in einem – erklären. Da Selim zu jenem Zeitpunkt niemanden hatte, dem er das Geschäft anvertrauen konnte, schickte er mich per Flugzeug. Das Gerät war einige Tage zuvor mit der Post versandt worden.

Feride war eine Person, die ihren Haushalt beherrschte und fest im Griff hatte. Sie gehörte zu jenen Personen, bei denen man Angst hat, nichts recht machen zu können, weil sie selber so perfekt sind. Ich fragte sie, ob ich ihr im Haushalt helfen könne. Feride wehrte entschieden ab. Vielleicht war ich zu wenig vertraut mit der türkischen Kultur. Seither habe ich – nicht zuletzt durch das Fernsehen – dazugelernt. Ein Nein sollte nicht so ohne Weiteres akzeptiert werden. Man sollte so lange beharren und nachfragen, bis die andere Seite sich seufzend ein Ja abringt. In unserer Kultur gibt es das nicht in diesem Ausmaß.

Ich akzeptierte also, dass Feride mich anscheinend nicht in ihrer Küche sehen wollte. Ich kannte das aus meiner Heimat. Die meisten Frauen wollten in ihrer Küche für sich sein. Ich habe eine Schwester, bei der es anders ist. Bei ihr fühlte ich mich immer sofort wie zu Hause und benahm mich auch so. Der Unterschied zwischen Feride und meiner Schwester ist der, dass meine Schwester außerhalb ihres Haushaltes noch ein Leben hat. Sie hat Karriere gemacht, obwohl sie auch Ehefrau und Mutter geworden ist.

Zu Feride und meinem Kurzaufenthalt bei ihr und Attila: Feride liebte es zu tratschen, was Frauen ja allgemein gerne tun. Es schien mir, in der Türkei sei das noch verbreiteter als bei uns in Europa. Vielleicht ist das dem Umstand zuzuschreiben, dass dort Frauen und Männer öfters nach Geschlechtern getrennt Zeit verbringen. Feride führte mich einerseits ein in den Verwandtschaftstratsch und horchte mich anderseits aus. Es interessierte sie, ob es vor Selim Männer in meinem Leben gegeben habe. Vor Selim hatten sich einige Männer erfolglos um mich bemüht. Mit erfolglos meine ich, dass gar nichts zwischen uns geschehen ist.

Es gibt Männer, die bemühen sich erst recht, wenn eine Frau sie auf Abstand hält. Zugegeben, ich lebte diesbezüglich in einer romantischen Scheinwelt, verliebte mich oft, aber ohne Folgen. Ich erzählte Feride, dass es Verehrer gegeben hatte, ich jedoch zu keinem eine Beziehung hatte und nicht heiraten wollte. Ich würde zu gerne wissen, was Feride danach über mich in der weiblichen Verwandtschaft erzählt hat. Es machten danach Gerüchte über mich die Runde, die Selim zu Ohren kamen und ihn verärgerten. Ich persönlich hatte Feride und Hatice im Verdacht, diese Gerüchte verbreitet zu haben.

Selim hätte seiner Schwester nie zugetraut, dass sie tratschte. Er hätte alles für sie gemacht. Als wir noch im Stadtteil Yeni Levent wohnten, rief Feride eines Tages an und bat Selim um Hilfe. Ihr Ehemann Attila brauchte dringend einen Bypass. Er war allgemein krankenversichert, vertraute aber den Chirurgen im öffentlichen Krankenhaus nicht. Selim kannte in Istanbul einen Herzchirurgen. Soweit ich mich erinnere, hatte er ihm oder seiner Ehefrau ein Reinigungsgerät verkauft. Er machte die Vorführung persönlich. Er kontaktierte also diesen Herzchirurgen und fragte ihn, ob er Attila operieren könne.

Bald darauf wurde Attila von diesem Chirurgen operiert. Ich kann mich erinnern, dass Selim danach ein Problem hatte mit dem Arzt, weil dieser ein höheres Honorar erwartete, als das aus der allgemeinen Krankenversicherung. Wie es endete, weiß ich nicht. Jedenfalls war selbst Selim der Meinung – welche er mir gegenüber äußerte –, Attila könnte dem Chirurgen durchaus ein Honorar bezahlen. Feride und Attila waren nicht arm. Sie besaßen zwei Häuser in Fethiye und Ersparnisse in Form von Wertpapieren.

20.
Aylins Geburt

Als ich im neunten Monat schwanger war, bestellten wir einen Kinderwagen. Einen Tag vor dem errechneten Geburtstermin konnten wir ihn abholen. Gleichzeitig besorgten wir noch eine Badewanne, die kombiniert war mit einem Wickeltisch und noch einige Sachen für das Baby. Selim und ich trugen alles hoch zu unserer Wohnung. Danach stellte ich mich an den Herd und kochte ein Abendessen. Als Nachspeise bereitete ich Schokoladenpudding zu. Ich erinnere mich, dass ich das Geschirr ungewaschen stehen ließ.

Nach dem Abendessen schauten wir uns den Film *Nicht ohne meine Tochter* an – wie passend. Es muss etwa 23 Uhr gewesen sein, als ich mich schlafen legte. Bald wachte ich wieder auf, hatte das Gefühl, die Fruchtblase sei geplatzt. Ich stand auf und merkte, dass Fruchtwasser auslief. Trotzdem blieb ich ruhig, ging in die Küche, aß Schokopudding und begann mit dem Abwasch. Da setzten die Wehen ein. Inzwischen war Selim erwacht. Es war 01:00 Uhr nachts. „Was machst du mitten in der Nacht?", fragte er. „Das Fruchtwasser kommt, die Wehen haben begonnen", antwortete ich. „Dann sollten wir aber zur Klinik fahren", meinte er. Er fuhr mich hin. Mit einem Rollstuhl wurde ich zur Geburtsabteilung gefahren.

Die Wehen kamen in kürzeren Abständen. Eine Hebamme kümmerte sich um mich. Meine Ärztin war im Urlaub. Ihre Stellvertreterin wohnte auf der asiatischen Seite. Der diensthabende Abteilungsarzt war ein Mann. Den wollte Selim nicht an mich heranlassen. Die Hebamme band mich am Bett fest und schaute mich missbilligend an, als ich stöhnte. Ich sagte ihr, vielleicht sollte ich mich doch für eine Periduralanästhesie entscheiden. Sie ging nicht darauf ein, fand, es sehe nach einer leichten Geburt aus. So versuchte ich mein Stöhnen zu unterdrücken. Selim wurde ungeduldig, weil die Ärztin nicht kam. Der diensthabende Arzt beruhigte ihn. „Wir haben Zeit. Eine Erstgeburt dauert meistens länger."

Um sechs Uhr morgens wollte sich Selim aus dem Staub machen. Er müsse sich rasieren und zur Arbeit gehen. „Nichts da, Sie bleiben!", hielt ihn die Hebamme zurück. „Die Geburt steht kurz bevor." Ich wurde mit dem Bett in den Gebärsaal geschoben. Die Ärztin war inzwischen eingetroffen und schaffte es gerade noch, bei der Geburt dabei zu sein. Gegen acht Uhr kam unsere Tochter Aylin zur Welt. Selim war während der Geburt an meiner Seite. Er sah seine Tochter, bevor ich sie sehen konnte. Er durfte den Abdruck ihres winzigen Füßchens machen. In ein Tuch gewickelt wurde sie mir kurz gezeigt, bevor sie weggebracht wurde, um von der Kinderärztin untersucht zu werden. Als ich aus dem Gebärsaal gerollt wurde, fragte ich: „Wie groß ist mein Baby?" „Sehr groß, beinahe vier Kilo!", bekam ich zur Antwort.

Hebamme und Ärztin waren beide der Meinung, eine so einfache Geburt hätten sie noch nie erlebt. Selim war geschockt und fragte sich, wie denn andere Geburten sein mussten. Am Nachmittag besuchten mich zwei junge Frauen, die mit mir die Schwangerschaftsgymnastik besucht hatten. Man hatte ihnen gesagt, ich hätte eine einfache Geburt gehabt. Sie fragten mich nach den Schmerzen. Ich antwortete: „Ich habe es bereut, keine Periduralanästhesie gewünscht zu haben." Beide brachten später ihr Kind mit Kaiserschnitt zur Welt.

Meine Schmerzen waren schnell vergessen. Das Einzige, was ich nachher bereute, war, dass ich die Klinik frühzeitig verließ. Ich blieb nur eine Nacht. Bezahlt hatte ich für ein Paket von mindestens zwei Tagen und zwei Nächten. Zu Hause hatte ich tagsüber niemanden an meiner Seite. Selim musste sich um das Geschäft kümmern. Abends war er in der ersten Zeit da und half mir, denn sobald ich das Baby irgendwo ablegen wollte, begann es zu schreien. Ich stillte. In dieser Beziehung wurde ich in der Klinik gut beraten. Obwohl mein Baby zuerst vergeblich an der Brust zog, riet die Hebamme zu warten und nicht gleich zur Flasche zu greifen.

Immer öfter kam Selim abends später nach Hause. Er musste sich um das Geschäft kümmern, machte abends oft Vorführungen bei Kunden. Ich fühlte mich zusehends einsamer zu Hause mit Aylin. Zudem litt Aylin an den sogenannten Dreimonatskoliken. Als Aylin drei Monate alt war, nahm Selim uns mit nach Ankara. Er wollte Aylin seinen Eltern und seinen Kindern zeigen. In Ankara angekommen, besuchten wir Selims Eltern. Hatice hatte für uns gekocht. Aylin hatte wieder einmal eine Kolik. Wahrscheinlich setzte ihr der Höhenunterschied von Istanbul nach Ankara zu. Selim erklärte seinen Eltern, warum Aylin schrie. Hatice schaute mich vorwurfsvoll an, während sie sagte: „Von unserer Seite hat sie das nicht."

Wir übernachteten in einem Hotel in Gaziosmanpaşa (ein Quartier, das südlich an das Stadtzentrum von Ankara angrenzt). Am nächsten Morgen besuchte uns Cem im Hotel. Aylin lag auf dem Bett. Cem beugte sich über sie; da verzog Aylin ihren Mund zu einem Lächeln. Ich ermunterte Cem, Aylin auf den Arm zu nehmen. Man merkte, dass er sich in seine Schwester verliebt hatte. Ayshe zeigte sich nicht. Ich weiß nicht mehr, wie sie ihre Verhinderung begründete.

Aylin war acht Monate alt, als Ayshe uns besuchte. Ihr Freund Mehmet begleitete sie. Für die Nacht kam er bei eigenen Verwandten in Istanbul unter, während Ayshe bei uns blieb. Ayshe war erstaunt, dass ich Aylin noch stillte. „Wird ein Baby normalerweise nicht nur zwei bis drei Monate lang gestillt?", fragte sie. „Auch nach den ersten drei Monaten braucht ein Baby Milch. Warum soll eine Mutter da nicht die eigene Milch geben?", fragte ich zurück.

Nach dem Mittagessen, das wir in einem Restaurant eingenommen hatten, waren wir noch bei uns zu Hause zum Kaffee. Aylin saß am Boden. Sie hatte sich einen Kleiderbügel geschnappt. Den reichte sie Mehmet. Er und Ayshe kamen auf

Kinder zu sprechen. Mehmet wünschte sich bald welche. Ayshe wollte frühestens mit Mitte dreißig Mutter werden. Zu diesem Zeitpunkt war Ayshe fünfundzwanzig, Mehmet ebenfalls. Ich schaute den beiden aus dem Fenster nach, als sie sich verabschiedet hatten. Ayshes Haar leuchtete orange in der Sonne. Warum nur färbte sie sich ihr Haar zu einer so grässlichen Farbe? So konnte sie ihre Schwiegermutter in spe nicht für sich gewinnen. Sie sah billig aus. Sprach man sie auf das gefärbte Haar an, sagte sie stets, die Männer wünschten sich blonde Frauen.

21.
Ayshes Verlobung

Mehmet hatte seine Eltern dazu gebracht, dass sie der Verlobung – wenn auch ungerne – zustimmten. Selim reiste für den Anlass, der in einem Lokal stattfand, welches der Sozialversicherung angehörte, bei welcher Semra Mitglied war, nach Ankara. Nebst Ayshes Mutter Semra waren auch Feride und Attila dabei. Mehmets Mutter soll sich Feride gegenüber geäußert haben, wie froh sie sei, auch rechtschaffene Mitglieder der Familie kennenzulernen. Semra kannten sie von der Ferienhaussiedlung in Kuşadası. Ihr Ruf dort war nicht der beste, einerseits weil Ayshe und Cem wochenlang alleine dort hausten, anderseits weil Semra anscheinend in wechselnder männlicher Begleitung aufgetaucht war.

Es wurde vereinbart, dass Mehmet vor der Heirat seinen Militärdienst absolvieren würde. Ayshe fand eine Stelle als Sekretärin bei einer Firma, welche Waffen vertrieb. Sie wollte sich so ihre Aussteuer finanzieren. Jahre später gestand sie ihrem Vater, dass sie mit ihrem Chef einmal für zwei Tage in Istanbul war. Sie übernachteten in einem 5-Sterne-Hotel in unmittelbarer Nähe unserer Geschäftsräumlichkeiten. Sie wusste damals, dass sie unter den gegebenen Umständen ihren Vater nicht besuchen konnte. Für Selim wäre eine Welt zusammengebrochen, hätte er gewusst, dass seine Tochter mit ihrem Chef verreiste und mit ihm im selben Hotel übernachtete. Vielleicht schliefen sie ja in getrennten Zimmern? Mir kann man so etwas erzählen und ich glaube es. Selim hätte es wohl kaum geglaubt. Hatte ihr Chef sie mitgenommen auf eine Dienstreise, um in getrennten Zimmern zu schlafen? Ayshe besaß keine besonderen beruflichen Qualifikationen, um ihm geschäftlich auf Dienstreise nützlich zu sein.

Die Verlobung wurde irgendwann aufgelöst. Ayshe sah die Schuld bei ihrem Vater. Zu Selim sagte sie: „Weil ich keinen Vater habe, will mich keiner heiraten.“ Wollte sie damit sagen, sie habe noch keinen Mann, weil ihre Eltern geschieden waren? Der wahre Grund war wohl ein anderer. Wie sie Selim gegenüber zugab, stritten sie und Mehmet sich oft und heftig. Mehmet soll einmal eine unflätige Bemerkung über Semra gemacht und gesagt haben, Ayshe käme nach ihr. Zum Zeitpunkt, als die Verlobung aufgelöst wurde, hatte Ayshe bereits die halbe Aussteuer gekauft. Möbel und Küchengeräte, die sie auf Abzahlung erstanden hatte, waren bereits geliefert worden. In der Wohnung, in der sie mit Mutter und Bruder wohnte, stapelten sich Möbel und Pakete.

Zu diesem Zeitpunkt kamen Selim Gerüchte über mich zu Ohren, die in seiner Verwandtschaft zirkulierten und mein Leben vor ihm betrafen. Da Selim und ich am meisten Kontakt zu Erhan und seiner Frau Emine hatten, wurde letztere verdächtigt, die Gerüchte in Umlauf gebracht zu haben. Ich glaubte das nie und nimmer, konnte Selim aber nicht umstimmen. Danach wollte er Emine nicht mehr besuchen. Diese wiederum fragte sich, warum wir nicht mehr zu Besuch kamen. Ich kann es ihr nicht verübeln, wenn sie dachte, ich wolle sie nicht sehen. Sie und Erhan wohnten zwar auch in Istanbul, aber auf der asiatischen Seite. Mit den öffentlichen Verkehrsmitteln dauerte es einen halben Tag, bis man bei ihnen war. Bei einer geringeren Distanz hätte ich sie auch ohne Selim besucht. Dieser Kontaktabbruch erfolgte, als unsere Tochter ungefähr ein Jahr alt war. Vorher besuchten wir sie einige Male. Sie waren auch einmal bei uns zu Besuch. Sie besaßen kein Auto. Es war für sie auch umständlich, zu uns zu kommen.

22.

Selims neue Freunde

Selim blieb immer öfter auch abends und später ganze Nächte weg. Einer seiner neuen Freunde war Ömer, der im selben Haus eine Apotheke betrieb. Seine Frau Meryem hatte mich nach der Geburt von Aylin in der Klinik besucht. Ömer war häufig in den Räumlichkeiten unserer Firma anzutreffen, sei es zum Kaffee oder zu einem Gespräch mit Selim. Selim erfuhr, dass Ömer eine junge Freundin hatte. Sie hieß Banu, hatte lange blonde Haare und in seiner Apotheke ein Praktikum absolviert. Sie gingen abends häufig zusammen aus. Selim schloss sich immer öfter an. Oft waren auch noch andere Freunde von Ömer dabei.

Weil er nun beinahe jeden Abend ausging, wurde Selim wieder alkoholabhängig. Oft trank er bereits am Vormittag einen Whisky gegen seinen Kater vom Vortag. Er wusste, dass er alkoholabhängig war, wusste aber nicht, wie er davon loskommen sollte. Das und eine Wirtschaftskrise waren die Gründe, dass es mit unserer Firma bergab ging. Auf meinem persönlichen Bankkonto befand sich noch ein Teil des Ersparten von vor der Heirat, als ich für das Außendepartement gearbeitet hatte. Immer wieder ließ ich auf Selims Wunsch Tausende US-Dollar auf unser Firmenkonto überweisen. Als ich einmal zögerte, seinem Wunsch nachzukommen, sagte er, als seine Frau sei ich verpflichtet ihm zu helfen. Zudem sei es ja auch meine Firma. Ich schrieb das dem Alkoholkonsum zu. Diese Aussage passte so gar nicht zu Selim, wie ich ihn kennengelernt hatte.

Wie bereits erwähnt, war ich immer öfters ganze Nächte allein mit Aylin. Frühmorgens machte ich mir oft Sorgen, es könnte

Selim etwas zugestoßen sein. Ich malte mir aus, wie ich alleine mit Aylin in Istanbul zurechtkommen sollte. Für die Firma wäre ich als Teilhaberin auch noch verantwortlich gewesen, obwohl mittlerweile alle Entscheidungen ohne mich getroffen wurden. Ich konnte nur hoffen, dass alles rechtens war mit der Firma.

Selims Sekretärin Meral war ein paar Jahre jünger als ich, geschieden und Mutter einer achtjährigen Tochter. Sie wohnte mit Mutter und Tochter in einer Mietwohnung unweit unseres Geschäftes. Ich hatte keine Ahnung, dass es ihr Ziel war, Selim für sich zu gewinnen. Sie soll einem Angestellten gegenüber geäußert haben, sie werde Selim schon noch ins Bett kriegen. Ich fand sie sympathisch. Das hat sich nie geändert. Auch nicht, als ich erfuhr, dass Merals Mutter Selim davon überzeugen wollte, sich von mir scheiden zu lassen, um Meral zu heiraten.

Auf die Idee, Meral könnte an Selim interessiert sein, kam ich nicht. Der Altersunterschied war noch größer als derjenige zwischen mir und Selim. Als gut aussehend konnte man Selim auch nicht bezeichnen. Wahrscheinlich hielt sie ihn für vermögend. Er war der Chef und ein Macho. Viele Frauen finden mächtige Männer anziehend. Ich fragte Selim, warum er mein Foto vom Schreibtisch in eine Schublade verbannt hatte. Darauf antwortete Selim, Besucher hätten ihn schon öfters gefragt, ob seine Frau Russin sei. Das war ihm unangenehm. War das wirklich alles?

Jede zweite Woche kam unsere Putzfrau Kadire, um die Wohnung auf Vordermann zu bringen. Ömers Frau Meryem hatte sie uns empfohlen. Einmal pro Woche putzte sie auch bei ihnen. Kadire fragte mich jedes Mal, ob ich nicht nach Europa zurückkehren wolle. Aylin könne in diesem Alter ihren Vater noch vergessen. Kadire hatte sich wohl mit Meryem unterhalten. Sie wusste, dass ich meistens mit Aylin alleine war, während Selim Abend für Abend mit Freunden in Restaurants und Nachtclubs unterwegs war. Aylin sah ihren Vater oft eine ganze Woche lang nicht. Manchmal spazierte ich am frühen Abend mit ihr zu unserem Geschäft. Meistens war niemand mehr dort. Wir standen vor verschlossener Türe. Dann kehrten wir jeweils zurück in unser einsames Zuhause. Für Aylin waren alle Männer *Baba,* was Vater bedeutet. Das war das einzige türkische Wort, das sie kannte. Für sie war es ein anderes Wort für Mann. Wenn Selim mal zu Hause war und Aylin ihm etwas sagen wollte, musste ich übersetzen, weil sie kein Türkisch konnte und er kein Deutsch.

Ömer und Banu machten den Führerschein für Segel- und Motorboote. Ömer plante, eine Segeljacht zu kaufen. Er wollte damit um die Welt segeln. Er fragte Selim, ob er ihn begleiten würde. Zu gerne hätte Selim ihn begleitet. Doch das ging nicht mit Frau und kleinem Kind. Er musste vielmehr einen Weg finden, wie er uns ernähren konnte. Anscheinend hatte auch Ömer keine Ahnung, wie es finanziell um uns stand. Selim war es schon immer unangenehm gewesen, anderen gegenüber zu gestehen, wenn es finanziell nicht rosig aussah. Als unsere Firma eine Zeit lang ordentlich lief, lieh Selim Ömer auf dessen Anfrage hin ein paarmal einen größeren Betrag aus. Ömer wusste, dass Selim nichts von Geldanlage verstand. Hatten wir Geld, lag es entweder im Tresor oder auf einem Bankkonto. Ömer dagegen war ein richtiger Profi in Sachen Geldanlage. Brauchte er nun für eine Anschaffung Geld, hatte aber nichts flüssig, fragte er Selim, ob er ihm Geld ausleihen könne. Er bezahlte alles zurück, wie versprochen. Umgekehrt wagte es Selim nicht, Ömer nach Geld zu fragen, was auch besser war. Alles, was wir besaßen, war ein Mercedes. Selim hatte den Hyundai in einen gebrauchten schwarzen Mercedes umgetauscht. Er fand irgendwann, der Hyundai sei zu leicht, um damit über die Bosporus-Brücke zu fahren, besonders bei windigem Wetter. Zudem könne er als Firmenchef nicht mit einem Hyundai herumfahren.

23.
Mafia und Wirtschaftskrise

Wie schon länger befürchtet, erhielt Selim eines Tages Besuch von Mitgliedern der Mafia. Sie versuchten Schutzgeld zu erpressen. Weil er mit einem solchen Besuch hatte rechnen müssen, hatte er einige Zeit zuvor einen Waffenschein beantragt und eine Pistole angeschafft. Ich erfuhr später, dass er einem der Besucher in den Fuß schoss, während ein Angestellter unbemerkt die Polizei rief. Von diesem Tag an hatte er oft Besuch von Polizisten. Fast jeden Tag kam einer von ihnen vorbei und trank einen Kaffee mit Selim. Abends lud er seine neuen Polizistenfreunde oft zum Essen in einem Restaurant ein. Er sah das als seine Art, Schutzgeld zu bezahlen.

Eines Nachts klingelte das Telefon. Am anderen Ende der Leitung war Selims Stimme zu vernehmen – eindeutig betrunken. Er sei auf der Polizeiwache, weil er seine Pistole verloren habe. Passiert sei das, weil er mit dem rechten Vorderrad in einen Straßengraben gefahren sei. Als er ausgestiegen sei, um nachzusehen, sei ihm wohl die Pistole aus der Halterung gefallen. Er könne sich noch erinnern, dass ein Mann vorbeigelaufen sei. Wahrscheinlich habe der die Pistole aufgelesen. Er müsse nun die Nacht auf der Polizeiwache verbringen, damit seine Unschuld bewiesen wäre, sollte mit seiner Waffe ein Verbrechen verübt werden. Etwas später kam er mit einem Polizisten nach Hause, um das Nötigste für die Nacht auf der Polizeiwache zu holen. Selim hatte vor dem Zwischenfall mit einem russischen Freund, der in der Nähe unseres Geschäfts ein Reisebüro betrieb, ein paar Gläschen getrunken. Deswegen war er dann wohl in den Straßengraben gefahren.

Einmal wurden wir als Familie beinahe ausgelöscht, weil ich nicht merkte, wie betrunken Selim war, als wir in den Wagen stiegen. Das trug sich so zu: Ömer und andere Freunde planten ein Wochenende mit Frauen an einem See in der Nähe der Stadt Bolu, zwischen Istanbul und Ankara gelegen. Das Hotel befand sich im Grünen am Ufer eines Sees. Ich stimmte zu. So konnten wir als Familie Zeit verbringen. Doch nach diesem Wochenende konnte ich froh sein, dass wir drei noch am Leben waren.

Kaum hatten wir unser Hotelzimmer bezogen, besuchte Selim einen seiner Freunde auf dessen Zimmer. Ich hätte wissen müssen, dass die Männer dort Alkohol tranken. Man merkte Selim nicht immer an, wenn er getrunken hatte. Er kam zurück und sagte, wir könnten in der Nähe in einem Restaurant essen gehen. Wir fuhren mit dem Auto hin, mit Selim am Steuer. Im Restaurant bestellte Selim zum Essen Rotwein. Als wir zurückfuhren, drängte er zuerst beinahe ein entgegenkommendes Fahrzeug vom Weg ab. Es war steiles Gelände, das zum See abfiel. Wir fuhren auf der Bergseite. Die Entgegenkommenden konnten glücklicherweise ausweichen, ohne abzustürzen. Es ging noch einmal gut. Unten angekommen, waren Fahrzeuge entlang der Straße parkiert. Selim fuhr geradewegs auf einen geparkten Wagen zu. Im letzten Moment riss er das Steuer herum. Ich kam mit dem Schrecken davon.

Währenddessen verkauften wir nur noch wenige Reinigungsgeräte pro Monat. Der Erlös deckte unsere Ausgaben bei Weitem nicht. So verging Monat um Monat. Wir mussten die Gehälter und die Mietzinse für Geschäft und Wohnung aufbringen. Immer wieder sprach ich Selim darauf an, dass wir etwas unternehmen mussten, um unsere Zukunft zu sichern. Selim hatte zwar Ideen, getraute sich aber nicht, diese umzusetzen. Eine Idee war, in denselben Mieträumlichkeiten ein kleines Lebensmittelgeschäft zu eröffnen. Dafür bräuchte er vom Eigentümer die Erlaubnis für einen Umbau. Im Hinterzimmer hätten weiterhin Reparaturen an Reinigungsgeräten vorgenommen werden können.

Als ich einsah, dass Selim weder fähig noch bereit war, etwas an unserer Situation zu ändern, beschloss ich nach Europa zurückzukehren. Ich versuchte zuerst von Istanbul aus eine Arbeit in der Schweiz zu finden. Meine Situation war nicht einfach. Ich war Mutter eines kleinen Kindes. Meine letzte Anstellung hatte ich vor sechs Jahren aufgegeben. Ich beschloss, für einige Wochen in die Schweiz zu reisen und mich dort auch bei Stellenvermittlungen zu melden. Kurz nach dem dritten Geburtstag von Aylin reisten wir zwei in die Schweiz. Es war November. Mein Vater hatte angeboten, uns während meines vorübergehenden Aufenthaltes aufzunehmen. Es war nicht einfach. Er war seit dem frühen Tod meiner Mutter gewohnt, alleine zu sein. Es gab Momente, da hätte ich am liebsten meine Sachen gepackt, um umgehend in die Türkei zurückzukehren. In solchen Momenten hätte ich jeweils das Projekt Arbeitssuche gerne für ein paar Jahre hinausgeschoben. Eines Abends, als ich mit Selim telefonierte, fragte ich ihn, ob ich die Rückkehr in die Schweiz für ein paar Jahre hinausschieben solle. Er riet mir davon ab, da er nicht wusste, wie wir uns in Istanbul weiter ernähren sollten. Seit ich nicht mehr in Istanbul war, blieb er abends meistens zu Hause, um mit mir telefonieren zu können. Ömer neckte ihn deswegen: „Wenn Lena da ist, lässt du sie Abend für Abend alleine. Wenn sie weg ist, verbringst du die Abende alleine zu Hause."

Ich nahm Kontakt auf zu einer ehemaligen Arbeitskollegin in Zürich. Wir hatten in derselben Anwaltskanzlei gearbeitet, bevor ich zum Außendepartement gewechselt hatte. Und siehe da, es wurde auf den 1. März des Folgejahres bei meinem ehemaligen Arbeitgeber eine Stelle im Sekretariat frei. Ich konnte mich dafür bewerben und hatte ein Gespräch mit einem der Partner. Da wir uns gegenseitig kannten und sie wussten, wie ich arbeitete, konnten beide Seiten nur gewinnen. Sie verließen sich darauf, dass ich die Betreuung meiner Tochter organisieren würde.

Später am selben Nachmittag hatte ich ein Gespräch bei einer Stellenvermittlung. Zu diesem Gespräch musste ich Aylin mitnehmen. Meine Nichte Sofia hatte sie für ein paar Stunden gehütet. Ich nahm Aylin am Hauptbahnhof von Zürich in Empfang. Die Stellenvermittlung war ganz in der Nähe. Dass ich Aylin zum Gespräch mit Frau Meier mitnahm, war nicht gerade förderlich. Diese zeigte sich so gar nicht zuversichtlich, mich als kaufmännische Angestellte oder Sekretärin vermitteln zu können. Dass ich als Mutter eines kleinen Kindes vorhatte, einen Vollzeitjob anzutreten, konnte sie gar nicht verstehen. Ob ich vorhabe, das Kind frühmorgens aus dem Bett zu reißen, um es in die Krippe zu bringen? Und wem ich es anvertrauen könne, wenn es krank sei, fragte sie mich.

Frau Meier hatte noch andere Zweifel. „Wie steht es mit Ihren Deutschkenntnissen nach all den Jahren im Ausland?“, wollte sie wissen. „Deutsch ist meine Muttersprache; ich war nicht so lange weg, um sie zu vergessen“, antwortete ich. Frau Meier konnte ich damit nicht überzeugen. Abschließend meinte sie, sie hoffe, dass ich bei meinem ehemaligen Arbeitgeber unterkomme. Das sei die beste Lösung. Es wäre für sie sehr schwierig, einen Arbeitgeber zu überzeugen, mich einzustellen: eine Mutter eines dreijährigen Kindes, die ihre letzte Anstellung vor bald sieben Jahren hatte.

Im Dezember bekam ich einen Arbeitsvertrag bei meinem ehemaligen Arbeitgeber auf den 1. März des Folgejahres. Einer der Kanzleipartner verschaffte mir durch Beziehungen eine Mietwohnung in einem Vorort von Zürich. Allerdings konnte ich die Wohnung erst im April beziehen. Ich musste also für den Monat März noch eine Bleibe finden. Das und der Umstand, dass Aylins Betreuung nicht geregelt war, bereitete mir Kopfzerbrechen. Selim konnte sich bis kurz vor dem Umzug nämlich nicht entscheiden, ob er uns in die Schweiz begleiten oder in der Türkei bleiben wolle.

Als ich mit Aylin wieder nach Istanbul reiste, war es, um den Umzug vorzubereiten. Schließlich entschloss sich Selim im letzten Moment dann doch, mit uns zu kommen. Er suchte einen Nachfolger für die Firma, fand aber so schnell keinen. Ömer riet ihm, ein Plakat mit der Aufschrift *Geschäftsräumlichkeiten zu vermieten* am Fenster anzubringen. So fand er in letzter Minute jemanden, der den Mietvertrag für die Geschäftsräumlichkeiten sowie Möbel und Telefonanschlüsse übernahm.

Ömer riet uns, nur das Nötigste an Hab und Gut mitzunehmen, weil ein Umzug für diese Distanz teuer wurde. Selim, der schon einmal alles verloren hatte, konnte den Rat nicht befolgen. Ich musste um jedes Stück feilschen, das ich zurücklassen wollte. Ich hatte einen Berberteppich, den Ömer gerne übernommen hätte. Der Teppich hätte zwar gereinigt werden müssen, war aber sonst in tadellosem Zustand. Ich wusste, dass ich in der Schweiz nie ein so großes Wohnzimmer haben und deshalb nur den Orientteppich brauchen würde, den ich mir in Ankara gekauft hatte. Der Berberteppich wurde zusammengerollt und kam zum Umzugsgut, um in der Schweiz beinahe zehn Jahre im Keller zu stehen, bevor er entsorgt wurde.

Selims Sekretärin Meral fragte ihn, ob sie uns in die Schweiz folgen könne. Sie könnte auf Aylin aufpassen. Ich erinnere mich noch gut an den Abend, bevor die Möbelpacker kamen. Selim kam wieder auf dieses Thema zu sprechen. Er malte sich aus, wie es wäre, mit zwei Frauen zu leben. Ich hätte nichts dagegen gehabt, wenn Meral uns gefolgt wäre. Selim hätte mit ihr zusammenziehen können. Seine Fantasie, mit ihm und Meral in einer Dreiecksbeziehung zu leben, konnte mich nicht begeistern. Was hätte er wohl gesagt, wenn ich noch einen anderen Mann hätte mitnehmen wollen? Selim sah bald ein, dass wir keine Aufenthaltsbewilligung für Meral bekommen würden. Er schien bald über sie hinweggekommen zu sein, erwähnte er sie doch nie wieder.

24.

Abschied von der Türkei – Neuanfang in der Schweiz

Die letzten zwei Nächte in Istanbul verbrachten wir in einem Hotel in Yeşilyurt (angrenzend an Yeşilköy). Am letzten Abend hatten wir ein Essen mit Freunden, darunter Ömer und Banu, in einem Fischrestaurant. Am nächsten Tag brachen wir in die Schweiz auf. In Zürich hatten wir für den ersten Monat in einer Pension ein Studio mit Bad und Küchenecke gefunden, bevor wir die Wohnung beziehen konnten. Zum ersten Mal in meinem Leben machte ich Bekanntschaft mit Bettwanzen – ausgerechnet hier. Ein Hotelzimmer für einen ganzen Monat wäre zu teuer gewesen. Zudem konnten wir auch nicht alle Mahlzeiten in Restaurants einnehmen. Mein Monatslohn hätte dafür nicht gereicht. Wir konnten auch nicht bei meinem Vater wohnen, weil ich mit den öffentlichen Verkehrsmitteln viel zu lange zur Arbeit gebraucht hätte. Zudem konnte ich meinem Vater nicht zumuten, uns alle drei für einen Monat aufzunehmen. Er kannte seinen Schwiegersohn nicht.

Noch während unseres Aufenthalts in der Pension kauften wir einen Gebrauchtwagen, einen VW Golf Variant. Da wir uns noch nicht bei der Gemeinde angemeldet hatten, hielt sich Selim offiziell noch mit dem Touristenvisum in der Schweiz auf. Deshalb kauften wir den Wagen auf meinen Namen, obwohl Selim damit fuhr. Später hatten wir das vergessen – oder zumindest er hatte es vergessen. Hin und wieder machte er mir Vorwürfe, dass der Wagen auf mich gelöst war.

Von einem Tag auf den andern war Aylin tagsüber mit ihrem Vater allein, während ich bei der Arbeit war. Aylin nahm mir das übel. Am ersten Abend sprach sie nicht mit mir, als ich von der Arbeit nach Hause kam. Ich hatte sie mit ihrem Vater alleine gelassen. Sie konnte kein Türkisch, er kein Deutsch. Aber Kinder lernen Sprachen schnell. Die erste Zeit sprach sie ihm einfach alles nach. Das war lustig oder auch peinlich für Selim, wenn Aylin ihm zurief: „Gel kizim!" (Komm, mein Mädchen). Sie gewöhnte sich daran, dass ich zur Arbeit ging. Manchmal aber lief sie mir morgens nach, wenn ich zur Tür hinausging, und rief: „Geh nicht weg, bleib hier!" Zu Selim sagte sie: „Warum gehst nicht du arbeiten und Mama bleibt zu Hause?" Das waren Momente, in denen ich mir wünschte, wir hätten in Istanbul bleiben können. Dort hatte ich mich einsam gefühlt. Deshalb gefiel es mir jetzt, einen strukturierten Tag zu haben und mit Menschen in Kontakt zu kommen. Genau das fehlte jetzt Selim. Ich wünschte ihm eine Arbeit. Für Aylin wäre es besser gewesen, mindestens ein paar Tage die Woche eine Kinderkrippe zu besuchen. Sie brauchte Kontakt zu anderen Kindern. In der Nähe unseres Wohnortes gab es einen privaten Kindergarten, der Kinder ab drei Jahren aufnahm. Ich erkundigte mich und vereinbarte ein Gespräch mit der Kindergärtnerin. Aus finanziellen Gründen entschied ich mich gegen den privaten Kindergarten. Stattdessen meldete ich Aylin bei der gemeindeeigenen Kinderkrippe an, da ich hoffte, Selim finde eine Arbeit.

Ein Jahr war seit unserem Umzug vergangen. Eines Tages eröffnete mir Selim, dass es ihm in der Schweiz nicht gefalle. Meine Antwort war, dass es vielleicht für alle besser wäre, wenn er in die Türkei zurückkehren würde. Dort könnte er beruflich noch etwas machen. Als Starthilfe würde ich ihm die Ersparnisse überlassen, die ich noch besaß. Zuerst fand Selim diesen Vorschlag nicht schlecht. Er sprach mit seiner Schwester Feride und dem Schwager Attila darüber. Attila riet ihm vehement ab, in die Türkei zurückzukehren. Das Startkapital, das ich ihm zur Verfügung stellen wolle, sei viel zu gering, um damit etwas anfangen zu können. Ich vermute, Attila befürchtete, Selim würde sich bei ihnen einnisten und ihnen auf der Tasche sitzen. Selim nahm Kontakt auf mit einer türkischen Rechtsanwältin in Zürich, die sich auf Familienrecht spezialisiert hatte. Diese Frau riet ihm, die Schweiz auf keinen Fall zu verlassen. Sonst würde er sein Kind nie mehr wiedersehen. Wie konnte sie so etwas sagen? Diese Frau kannte mich nicht. Sie hatte mich weder gesehen noch mit mir gesprochen.

Wem hat diese Anwältin damit geholfen? Wäre Selim zu jenem Zeitpunkt in die Türkei zurückgekehrt und hätte er dort beruflich etwas gemacht, wäre es ihm wahrscheinlich besser gegangen. Aylin und ich hätten ihn jedes Jahr besuchen können. Hier fand er keine Arbeit. Das hing an seinem Alter und seinen mangelnden Deutschkenntnissen. Seine Anwältin hätte ihm einen Job beschaffen können, wenn sie ihm schon den Rat erteilte, mich und Aylin auf keinen Fall zu verlassen. Ich war bei diesem Gespräch nicht dabei. Ich kann mich nur erinnern, dass Selim mich danach bedrohte und bedrängte. „Herzlichen Dank, Frau Rechtsanwältin!"

Vor Jahrzehnten wollte mir ein älterer Rechtsanwalt das Studium finanzieren. Er wünschte sich für mich, dass ich Rechtsanwältin werde und nicht ewig den Job einer Gehilfin mache. Ich war damals zweiundzwanzig Jahre jung. Die Kanzlei, für die ich arbeitete, hatte in einem internationalen Fall mit einem Rechtsanwalt aus Ägypten zu tun. Er kam einige Male nach Zürich in unsere Kanzlei. Eines Tages lud er mich zum Essen ins Grand Hotel Dolder ein. Ich nahm die Einladung an. Ich muss wohl nicht weiter darauf eingehen, mit welch abschätzigen Blicken mich die Kellner taxierten. Sie dachten sich: blutjunge Frau, reicher älterer Herr. Dieser ältere Rechtsanwalt versuchte mich zu überreden, baldmöglichst mit dem Rechtsstudium zu beginnen. Er versprach mich finanziell zu unterstützen. Als ich höflich ablehnte, sagte er mir, er habe bereits einer anderen jungen Frau zum Studium verholfen. Eine ehemalige Sekretärin einer Genfer Anwaltskanzlei sei mit seiner Hilfe Rechtsanwältin geworden. Das glaubte ich ihm durchaus, wollte das Angebot aber trotzdem nicht annehmen. Ich sah mich nicht als Rechtsanwältin. Mein ausgeprägter Gerechtigkeitssinn hätte mich bestimmt daran gehindert, eine gute Anwältin zu werden.

Ich bin abgeschweift. Wir waren beim Ratschlag der türkischstämmigen Rechtsanwältin an Selim. Selim hätte jetzt wieder um mich werben können. Er hätte sich bemühen können, unsere Beziehung zu retten. Er aber drohte mir damit, mit unserem Kind in die Türkei zurückzukehren; denn ohne Aylin wolle er nicht gehen. Daraufhin versteckte ich Aylins Reisepass. Er griff vermehrt zur Whisky-Flasche und attackierte mich immer öfters verbal vor unserer Tochter. Wenn ich abends etwas länger arbeitete und sich Aylin Sorgen machte, ob mir etwas passiert sei, sagte er: „Na, wenn schon! Geschähe ihr recht." Ich wusste nichts davon. Erst Jahre später erzählte mir Aylin von diesen Episoden.

Die erwähnte Anwältin hatte Selim geraten, sich einbürgern zu lassen. Da wir bereits seit sieben Jahren verheiratet waren, konnte er die erleichterte Einbürgerung für Ehegatten beantragen. Das tat er dann auch mit meiner Hilfe. Ich schrieb das Gesuch für ihn und beschaffte die nötigen Dokumente. Wegen mangelnder Deutschkenntnisse war er nicht in der Lage, das Gesuch selber zu stellen. Selim hatte zwar einen Intensivkurs absolviert, aber nicht viel davon profitiert. Danach meldete ich ihn für einen Sprachkurs an, an welchem ausschließlich Hausfrauen teilnahmen. Die Frauen stimmten ab, ob Selim als einziger Mann teilnehmen durfte. Er durfte. Das Tempo des neuen Kurses war geeigneter für ihn. Gleichzeitig bereitete er sich für die Taxiprüfung vor. Dass sein türkischer Führerschein nicht anerkannt wurde und er nach einem Jahr in der Schweiz die praktische Fahrprüfung noch einmal ablegen musste, war erniedrigend für ihn. Den Führerschein bekam er. Taxifahrer konnte er aber nicht werden, da er wegen fehlender Sprachkenntnisse die theoretische Prüfung dazu nicht bestand.

Selim wurde eingebürgert. Danach mussten wir weitere fünf Jahre verheiratet bleiben, weil er sonst die Staatsbürgerschaft wieder verloren hätte. Wir waren gut eineinhalb Jahre in der Schweiz, als Ayshe anrief und sagte, sie brauche Geld. Sie habe ihre Arbeitsstelle verloren und finde keine neue mehr. Zudem habe sie ein kleines Auto auf Abzahlung erstanden. Sie musste die Raten abstottern. Als Selim mir das erzählte, fragte ich: „Kann sie den

Wagen nicht verkaufen? Wieso braucht sie ein Auto, wenn sie keine Arbeit hat und nichts verdient?" Darauf entgegnete er: „Sie könnte das Auto nur mit großem Verlust verkaufen. Das wäre schade. Zudem sucht sie sich eine neue Arbeit." Von da an ging ich monatlich zur Niederlassung einer türkischen Bank in Zürich und überwies jedes Mal ein paar Hundert Franken für Ayshe.

Die Rente, die Selim in der Türkei erhielt, bezog sein Sohn Cem weiterhin. Er hatte eine Karte, mit der er den monatlichen Betrag jeweils direkt beziehen konnte. Selim wunderte sich, dass kein jährlicher Lebensnachweis von ihm verlangt wurde, wie es sonst üblich war. Ich zahlte also Monat für Monat einige Hundert Franken für Ayshe ein. Selim, Aylin und ich lebten vom Rest meines Sekretärinnengehaltes. Es reichte selten für alle Ausgaben, die wir hatten. Ich musste fast jeden Monat von meinen Ersparnissen zehren und sparte, wo ich nur konnte. Kino- und Restaurantbesuche gönnten wir uns keine.

Für mich sah der Alltag so aus: Die Wochenenden verbrachte ich oft mit Migräne im Bett, so erschöpft war ich mittlerweile. Wochentags rannte ich morgens aus dem Haus zum Bahnhof, fuhr in die Stadt zur Arbeit. Abends konnte ich nicht die Beine hochlegen. Erst widmete ich mich meiner Tochter, die jeden Abend sehnsüchtig auf mich wartete. Im Sommer bei schönem Wetter kam mir Aylin oft mit der Badetasche entgegen und wir gingen noch für eine oder zwei Stunden ins Freibad. Andere Mütter und Kinder hatten den Nachmittag im Freibad verbracht und gingen nach Hause, als wir ankamen. Ich wusste oft nicht, sollte ich Mütter beneiden oder bemitleiden, die Zeit hatten, neben ihren Kindern zu sitzen, während diese ihre Hausaufgaben erledigten.

Nach einem Arbeitstag verrichtete ich meistens noch Arbeiten im Haushalt. Oft gab es Streit mit Selim, der ob seiner Situation ohne Arbeit frustriert war und öfter im Whisky Trost suchte. Weil er den ganzen Tag Zeit zum Nachdenken hatte, bildete er sich zudem Sachen ein. Einmal fiel ein Schlüssel vom Schlüsselbrett in den Schirmständer, der sich unmittelbar darunter befand. Am nächsten Morgen nahm ich in Eile meinen Schirm aus dem Ständer und stürmte – wie meistens – aus dem Haus. Auf der Straße öffnete ich meinen Schirm. Es entging mir, dass ein Schlüssel aus dem Schirm zu Boden fiel. Carlo, ein Nachbar von uns, bekam es mit, nahm den Schlüssel und brachte ihn Selim. Da die beiden Männer sich nur schlecht verständigen konnten, verstand Selim nicht, wieso Carlo ihm den Schlüssel brachte.

Am Abend wollte Selim von mir wissen, wie Carlo zu dem Schlüssel gekommen war. Ich wusste von nichts. Erst allmählich dämmerte es mir, dass der Schlüssel aus dem Schirm gefallen sein musste. Selim glaubte mir nicht. Über Jahre kam er bei jedem Streit darauf zu sprechen. Einmal rief er mich kurz nach Mittag bei der Arbeit an, um mir zu sagen, er sei ganz in der Nähe und beobachte mich. Er habe gesehen, dass ich mich mit einem anderen Mann getroffen habe. In Wahrheit war er zu Hause und redete sich etwas ein, weil ich über Mittag nicht angerufen hatte.

25.
Was geht in Ankara vor?

Eines Tages sagte mir Selim, er mache sich Gedanken, wie es seinen Kindern gehe. Wenn er in Ankara anrief, war Ayshe nie zu Hause. Er versuchte es zu verschiedenen Tageszeiten. Jedes Mal sagte seine Exfrau Semra, Ayshe sei bei ihrer besten Freundin Nurgül. Kurz darauf rief Ayshe jeweils von einem mobilen Anschluss an. Bei *keinem* seiner Anrufe war Ayshe zu Hause. Das kam Selim irgendwie verdächtig vor. Deshalb entschied er sich, nach Ankara zu reisen. Aylin besuchte inzwischen den Kindergarten. Während der Schulsportferien im Februar reiste Selim für eine Woche nach Ankara. Ich nahm mir eine Woche Urlaub und besuchte mit Aylin meine Schwester in Tirol.

Selim fand in Ankara eine kalte Wohnung mit einem leeren Kühlschrank vor. Trotz der Rente, die Cem an Selims Stelle bezog, und den 300 bis 400 Franken, die wir monatlich schickten, war der Kühlschrank leer. Offenbar hatte die Wohnung keine Zentralheizung. Im Wohnzimmer stand ein Elektroofen. Selim ging einkaufen und füllte den Kühlschrank. Er freute sich, mit Sohn und Tochter Zeit zu verbringen. Ayshe verschwand jedoch ständig für lange Telefongespräche in ihrem Zimmer. Als Selim fragte, mit wem sie spreche, behauptete sie: „Mit meiner Freundin Nurgül."

Nach zwei oder drei Tagen kam Semra zurück in ihre Wohnung. Angeblich hatte sie ein paar Tage bei einer Bekannten wohnen können. Wie wir später herausfanden, wohnte sie zu jener Zeit in der Eigentumswohnung von Ayshe, von der wir nichts wussten. Was Selim immer noch in ihrer Wohnung mache, wollte sie wissen. Er solle gefälligst verschwinden. Selim packte seine Sachen und zog für die verbleibenden Tage in ein Hotel. Danach schickten wir kein Geld mehr nach Ankara. Irgendetwas wurde uns verheimlicht. Das wusste Selim. Nur, was uns verheimlicht wurde, wussten wir zu diesem Zeitpunkt noch nicht.

Im selben Jahr wurde Aylin eingeschult. Wir reisten im Herbst für eine Woche nach Istanbul. Aylin konnte sich kaum an ihre Geburtsstadt erinnern. Sie war drei Jahre alt gewesen, als wir wegzogen. Wir freuten uns alle drei auf Istanbul. Beinahe vier Jahre waren vergangen. Die positiven Erinnerungen überwogen. Selim liebte diese Stadt seit jeher. Da er noch immer Mitglied einer Vereinigung von Istanbuler Geschäftsleuten war, konnte er für uns zu einem günstigen Preis eine Suite in der Nähe der Marina von Ataköy buchen.

Wir genossen die Urlaubswoche in Istanbul sehr. Das Wetter meinte es gut mit uns. Die ganze Woche war es tagsüber sonnig und 30 °C warm, und das im Oktober. Es fühlte sich an wie mitten im Sommer. Wenn ich zurückblicke, kommt mir dieser Urlaub viel länger vor als eine Woche. Das liegt daran, dass wir viel unternahmen. Wir sahen Ömer öfters. Er brauchte nicht zu arbeiten. Seine Apotheke gegenüber einer Privatklinik war eine Goldgrube, welche sein Sohn leitete. Ömers Segeljacht lag in der Marina Ataköy. Er lud uns einmal auf die Jacht zum Essen ein.

Die anderen Tage aßen wir in verschiedenen Restaurants. Einmal war es Hausmannskost in einem einfachen Restaurant. Ein andermal aßen wir Garnelen in einem Fischrestaurant beim Fischmarkt. Auch Fisch aßen wir mindestens einmal. Die Krönung war der Besuch in einem vornehmen Restaurant, das auf Fleisch spezialisiert ist. Wir saßen auf der Terrasse und blickten auf das Meer. Zuerst wurden Mezze – eine Vorspeisenauswahl – angeboten. Zum Hauptgang wählte jeder ein Fleischgericht. Als Nachspeise hatten wir eingelegte Quitten. Es war einfach köstlich. Zudem war der Service auf hohem Niveau. Ich würde am liebsten an dieser Stelle Werbung machen für das Restaurant. Das Preis-Leistungs-Verhältnis war top.

Als wir in Istanbul angekommen waren und unsere Suite bezogen hatten, überlegte sich Selim, ob er Ayshe und Cem anrufen und sie nach Istanbul einladen wolle. Er wusste, dass in Ankara etwas nicht stimmte, dass ihm etwas verheimlicht wurde. Später war ich froh, dass Selim Ayshe nicht nach Istanbul in unser Hotel eingeladen hat. Womöglich wäre uns dieser Urlaub vermiest worden. Ayshe trübte uns später zweimal unseren Urlaub in der Türkei. Selim träumte davon, sowohl seine Tochter Ayshe als auch den Sohn Cem zu uns in die Schweiz zu holen. Dafür bräuchten sie ein Visum. Da beide erwachsen waren, konnten sie nicht vom Familiennachzug profitieren. Cem hatte beruflich die besseren Aussichten in der Türkei, wo er seine Ausbildung gemacht hatte. Dass Ayshe so oder so nicht zu uns gezogen wäre, erkannten wir, als wir später erfuhren, dass sie mit einem Mann zusammenlebte.

Ayshe rief ihren Vater von Zeit zu Zeit an. Jedes Mal klagte sie, sie würde gerne arbeiten, finde aber keine Anstellung. Selim machte sich Sorgen, was aus seiner Tochter werden sollte. Mittlerweile war sie zweiunddreißig Jahre alt. „Kein Beruf, kein Partner", dachte Selim. Er fragte seinen Freund Ömer, ob er jemanden kenne, mit dem Ayshe verheiratet werden könnte. Ömer kannte jemanden: einen Apotheker, um die vierzig und ledig.

Selim bat Ayshe um ein hübsches Foto. Offenbar ging Ayshe zum Fotografen. Sie schickte Selim sehr schöne Bilder, auf denen sie mit braunem, welligem, langem Haar abgelichtet war. Sie sah sehr hübsch aus. Selim verriet ihr, dass er jemanden gefunden habe, der an ihr interessiert sein könnte. Ayshe war so vehement dagegen, diesen Mann kennenzulernen, dass Selim misstrauisch wurde. „Es muss doch einen Mann geben in ihrem Leben. Sonst wäre sie nicht von vornherein dagegen, einem Interessenten auch nur eine Chance zu geben", meinte er mir gegenüber. Selim bohrte so lange weiter, bis Ayshe damit herausrückte, dass sie mit einem Franzosen zusammenlebe, der als Techniker einer Helikopterfirma beruflich nach Ankara versetzt worden sei. Er sei geschieden. Von Cem erfuhr Selim, dass Ayshes französischer Freund in Ankara eine Wohnung auf ihren Namen gekauft habe.

Ich vermute, dass Ayshe nicht wirklich arbeiten wollte. Sie lebte mit ihrem Freund zusammen und besorgte den gemeinsamen Haushalt. Zusammen verreisten sie oft – innerhalb der Türkei und in Europa. Mit einem festen Arbeitsverhältnis hätte Ayshe nicht so oft verreisen können. Einmal waren die beiden in Genf und suchten im Telefonbuch unsere Adresse. Diese fanden sie, wagten es aber nicht, sich zu melden, aus Angst vor Selims Reaktion. Das erzählte uns Ayshe Jahre später, als sie verheiratet war. Selim wäre alles andere als erfreut gewesen zu erfahren, dass seine Tochter mit einem Mann im Konkubinat lebte. Er erwartete von seiner Tochter, dass sie keusch bleiben sollte bis zur Hochzeit. Das wusste sie.

Wir waren so blöd gewesen und hatten ihr etliche Male Geld geschickt. Wir selber wohnten in einer günstigen Mietwohnung und teilten das Geld ein, um über die Runden zu kommen. Gerne hätte ich Aylin ins Ballett geschickt. Doch jede mögliche Ausgabe wurde gut überlegt. Währenddessen dachten Semra, Ayshe und Cem, dass wir im Schlaraffenland lebten.

Selim fand keine Arbeit. Es lag am Alter und an den fehlenden Deutschkenntnissen. Er ging zu Stellenvermittlungen und zum Arbeitsamt – ohne Erfolg. Für körperlich anstrengende Arbeiten war er mit über fünfzig zu alt. Putzfirmen waren nicht an ihm interessiert wegen seines Alters und fehlender Erfahrung. Für Marketing fehlten die Sprachkenntnisse. Auch als Taxifahrer konnte er nicht arbeiten, obwohl wir Geld für Stunden ausgegeben hatten. Er musste die theoretische Prüfung in einer unserer Landessprachen ablegen und bestand sie deswegen nicht. Das nagte an ihm. Es fehlte ihm ein strukturierter Tagesablauf. Aus dem Haus kam er fast nur, um einzukaufen. Manchmal gab er Aylins Bitten nach und ging mit ihr zum nahen Spielplatz. Oft schlief er tagsüber stundenlang. Aylin war während dieser Zeit sich selbst überlassen. Manchmal erwartete mich abends ein warmes Essen. Meistens saß Selim aber vor dem Fernseher und schaute sich die Nachrichten auf einem türkischen Sender an, wenn ich von der Arbeit nach Hause kam. Die Abende wurden lang. Ich bereitete ein Abendessen zu. Wir aßen. Danach spielte ich mit Aylin. Manchmal hatte sie eine Frage zu den Hausaufgaben.

Selim ahnte, dass Ayshe ihm nicht die ganze Wahrheit gesagt hatte. Deshalb beauftragte er seinen Bruder Ozan, Ayshes Freund ausfindig zu machen. Ozan hatte Kontakt zu Geheimdienstlern. Auf diesem Weg erfuhr Selim, dass Alain 49 Jahre alt, verheiratet und Vater zweier Töchter war. Mit dieser Information meldete sich Selim bei Ayshe. Sie gab vor, überrascht zu sein. Alain habe ihr beteuert, er sei gerichtlich getrennt von seiner französischen Frau. Sie schwärmte Selim vor, dass Alain genau der Mann sei, den er sich als Schwiegersohn wünschte. Er sei absolut verlässlich, stehe mit beiden Beinen im Leben und schaue gut auf sie.

Wir planten zwei Wochen Sommerferien in Bodrum. Unsere Freunde Ömer und Banu hatten mit ihrer Segeljacht in Bodrum angelegt. Banu hatte Ende März ein Töchterchen geboren. Ömer hatte uns angeboten, in seinem Ferienhaus in Bodrum zu wohnen. Wir verbrachten die Tage meistens am Strand, wo Ömers Segeljacht vor Anker lag. Selim telefonierte mit Ayshe und Cem und lud sie ein, ein paar Tage mit uns zu verbringen. Ich erinnere mich an das Wiedersehen mit Ayshe und Cem. Aylin war einerseits glücklich, endlich ihre große Schwester und den Bruder kennenzulernen. Anderseits war sie enttäuscht, dass Ayshe dem Bild, das wir zu Hause hatten, überhaupt nicht ähnlich sah. Sie hatte ihr Haar wieder gelb gefärbt. Es passte nicht zu ihrem bräunlichen Teint und den dunklen Augenbrauen.

Am nächsten Tag kam Alain hinterhergereist. Ayshe hatte mir noch gesagt, dass er nicht besonders gut aussehe, aber sehr nett sei. Alain sah keinen Tag jünger aus, als er war – damals 49. Zudem war er korpulent. Nett war er zwar, aber auch sehr von sich überzeugt. Wir unterhielten uns auf Englisch. In dieser Sprache verständigten sich Ayshe und Alain. Alain machte mir Komplimente für meine Figur. Zu Ayshe sagte er, wie toll er es finde, dass ich in meinem Alter – damals dreiundvierzig – noch eine so gute Figur habe. Ich hatte keinen Grund, Alain gegenüber unfreundlich zu sein. Aber entweder legte Alain meine Freundlichkeit falsch aus oder er wollte Ayshe eifersüchtig machen. Jedenfalls setzte er ihr den Floh ins Ohr, ich stehe auf ihn. Es ist mir ein Rätsel, wieso ich auf ihn hätte stehen sollen. Ömer war viel attraktiver als Alain. Sogar Selim konnte es mit Alain aufnehmen, obwohl er beinahe zwanzig Jahre älter war.

Ayshe schwärmte von ihrer Duplex-Dachwohnung, die Alain für sie gekauft habe. Damit sei sie abgesichert, falls Alain etwas passiere. Ömer zog die Augenbrauen hoch bei diesem Gespräch. Zu Selim und mir sagte er später: „Dieser Franzose will sich nicht scheiden lassen. Sonst hätte er es doch längst getan." Alain hatte sich ohne Familie nach Ankara versetzen lassen. Seine Frau ging in Frankreich einer Arbeit nach. Seine Töchter gingen dort zur Schule. Ayshe war seine Geliebte und Haushälterin in einem. Die Wohnung war nicht als Geschenk an Ayshe gedacht. Seine Firma bezahlte die Mietzinse an Ayshe. Sie gab das Geld weiter an Alain. So bekam er seine Einlage nach und nach zurück. Mit der Duplex-Dachwohnung konnte er repräsentieren. Oft lud er Firmen-Mitarbeiter oder andere Expats zu Essen oder Partys auf der Dachterrasse ein. Ayshe und Alain profitierten gleichermaßen von der Situation. Jedoch erwartete Ayshe, dass Alain sich scheiden ließ und sie heiratete.

Wir alle verbrachten zusammen in Bodrum einen Tag in Harmonie. Als wir vom Strand zurückkamen, ließ Ayshe die Waschmaschine in Ömers Haus für die Strandtücher von sich und Alain laufen. Sie hätte wenigstens fragen können, ob sonst noch jemand etwas waschen wollte. Die Maschine wäre dann wenigstens einigermaßen voll gewesen. Wir waren bereits einige Tage da. Es wäre mir nie in den Sinn gekommen, die Waschmaschine laufen zu lassen. Ayshe tat dies, ohne zu fragen. Ich erinnerte mich, dass Selim zu Beginn unserer Bekanntschaft einmal erwähnt hatte, Ayshe lasse die Waschmaschine für *eine* Jeanshose laufen.

Selim und ich erwarteten, dass Alain die Nacht in einem Hotel verbringen würde. Offensichtlich hatte er kein Zimmer reserviert. Ayshe erkundigte sich, wo sie und Alain schlafen sollten. Selim machte ihr empört klar, dass sie und Alain nicht im selben Zimmer übernachten konnten. Nicht solange er, Selim, unter demselben Dach wohnte. Ayshe teilte sich daraufhin ein Schlafzimmer mit Cem. Alain übernachtete mit Selim im Wohnzimmer.

Am zweiten oder dritten Abend kam es zu einem heftigen Streit. Am Nachmittag bekam Selim mit, wie Ayshe zu Alain sagte, sie brauche ein neues Auto. Selim traute seinen Ohren nicht. „Willst du dich mit einem Auto von Alain bezahlen lassen?“, fragte er entsetzt. Ayshe antwortete: „Willst du mir damit sagen, ich verkaufe mich?“ „Es sieht so aus“, antwortete Selim.

An diesem Abend aßen wir in einem Fischrestaurant. Selim hatte bereits Whisky getrunken. Wir drei konnten mit Ömer und Banu mitfahren, während Ayshe und Cem im Mietwagen von Alain mitfuhren. Ich ahnte, dass der Abend nicht gut enden würde. Es lag eine Spannung in der Luft. Ayshe hätte das auch wissen müssen. Doch sie provozierte ihren Vater wegen seiner Bemerkung am Nachmittag. Er gab ihr eine Kopfnuss und sagte: „Ja, ich meinte es ernst. Du benimmst dich wie eine Prostituierte.“ Alain mischte sich ein und der Streit eskalierte dermaßen, dass Alain, Ayshe und Cem das Restaurant fluchtartig verließen. Sie holten ihre Sachen aus Ömers Haus – mitsamt den halb gewaschenen, wohl triefend nassen Strandtüchern, wofür Ayshe den Waschgang unterbrechen musste. Später erfuhren wir, dass die drei danach einige Tage Urlaub in einem Aparthotel in Alanya machten.

Cem verabschiedete sich nicht einmal von seiner kleinen Schwester Aylin. Sie war sehr traurig darüber. Cem schien keine Wahl zu haben, als mit Alain und Ayshe mitzugehen. Seine Taschen waren leer. Alain gab ihm ab und zu etwas Taschengeld. Anfänglich war es wohl Schweigegeld gewesen. Doch ab jetzt gab es nichts mehr zu verschweigen. Selims Rente, die Cem für seinen Unterhalt erhielt und die ihn durch sein Studium bringen sollte, überließ er für Miete und Nebenkosten der Wohnung, die er mit seiner Mutter bewohnte. Die Mutter wohnte jedoch meistens bei Ayshe. Gingen sie zusammen auf dem Markt einkaufen, bezahlte Ayshe für sich und die Mutter. Was die Mutter mit ihrer eigenen Rente machte, blieb bis zum Schluss ein Rätsel.

Nach dem Zwischenfall in Bodrum wusste Alain, dass er Selim nicht mehr unter die Augen treten durfte, solange er unverheiratet mit Ayshe zusammenlebte. Das Problem war, dass er noch mit seiner französischen Frau verheiratet war. Bei einer Scheidung musste er ihr die Hälfte des während der Ehe errungenen Besitzes abgeben. Das wollte er offensichtlich verhindern. Kurze

Zeit später wurde Alain von seiner Firma aus der Türkei nach Frankreich zurückgerufen. Alain und Ayshe waren sich einig: Selim steckte mit dem Geheimdienst dahinter. Alains Rechnung war nicht aufgegangen. Er hatte sich ausgerechnet, er könne den Kaufpreis für die Wohnung mit dem Mietzins kompensieren, für den seine Firma aufkam. Da er Ankara frühzeitig verlassen musste, hatte er erst einen Teil seiner Investition zurückerhalten.

Alain hatte nicht nur geplant, seine Investition mit den Mietzinsen, die seine Firma an Ayshe als Wohnungseigentümerin auszahlte, zurückzuerhalten. Er spielte mit dem Gedanken, später eine kleine Wohnung für seine fast Schwiegermutter Semra zu kaufen und den Kaufpreis wieder mit den Mietzinseinnahmen seiner Firma abzugelten. Semra jammerte ständig, sie sei darauf angewiesen, dass Cem die Miete bezahle. Das tat er, bis er in der Immobilienfirma eines ehemaligen Schulfreundes, der sich in Alanya niedergelassen hatte, eine Stelle annahm und von Ankara wegzog. Semra zog in eine kleinere Wohnung, für deren Mietzins Alain aufkam. Sogar die Vorhänge für die neue Wohnung bezahlte er und hängte sie sogar eigenhändig auf. Semra war immer berufstätig gewesen und bezog für türkische Verhältnisse eine gute Rente inklusive Krankenversicherung. Wofür gab sie ihr Geld aus?

Nach einiger Zeit in Frankreich wurde Alain von seiner Firma nach Brasilien versetzt und schaffte es, obwohl sie nicht verheiratet waren, dass Ayshe ein Visum bekam und ihm folgen konnte. Unterdessen schaute Semra in der Wohnung ihrer Tochter und des Schwiegersohnes in spe nach dem Rechten. Dafür wurde sie von Alain großzügig entschädigt. Ayshe kehrte früher als Alain nach Ankara zurück. Wahrscheinlich war das Visum abgelaufen – oder sie hatte Heimweh? Am Telefon erzählte sie Selim, Alain habe in Brasilien Affären mit anderen Frauen. „Vergiss ihn“, riet ihr Selim. „Was ist mit der Wohnung in Ankara? Er will, dass ich ihm die Hälfte auszahle, wenn wir uns trennen“, antwortete Ayshe. „Lass die Schlösser wechseln und verweigere ihm den Zutritt zur Wohnung. Schließlich bist du die rechtmäßige Eigentümerin“, riet Selim. Doch Ayshe hörte nicht auf ihren Vater.

26.
Ayshe heiratet

Zweieinhalb Jahre nach der Auseinandersetzung in Bodrum wurden wir kurzfristig von Ayshe zu ihrer Hochzeit mit Alain eingeladen. Zwei Wochen blieben, um die Flugtickets zu beschaffen und für Aylin eine Bewilligung, dass sie für einige Tage vom Schulunterricht freigestellt wurde. Ich konnte an der damaligen Arbeitsstelle nur einmal im Jahr während der Sommerschulferien Urlaub machen. Es gab nur nachmittags (Freitag ausgenommen) einen Ersatz für mich, und das auch nicht immer. Hätte ich frühzeitig von der Hochzeit gewusst, hätte ich vielleicht trotzdem eine Woche Urlaub nehmen können.

Selim reiste mit Aylin ein paar Tage vor der Hochzeit nach Ankara. Ayshe und Alain luden sie ein, vor der Hochzeit bei ihnen zu wohnen. Sie hatten zwei Schlafzimmer. Selim schlief mit Alain in einem der beiden Zimmer im selben Bett; denn Ayshe durfte vor der Hochzeit nicht mit Alain schlafen. Als ob sie dies nicht schon unzählige Mal getan hätten. Dass Selim dies erwartete, brauchte er nicht auszusprechen. Ayshe schlief also im Gästezimmer. Aylin musste mit ihr das Bett teilen, tat aber kein Auge zu. Ayshe ließ scheinbar aus Angst vor der Dunkelheit die ganze Nacht über das Licht an. Aylin erzählte mir danach, dass sie sich einmal mitten in der Nacht zu Selim und Alain gelegt habe. Leider konnte sie auch dort nicht schlafen, obwohl es dunkel war. Es herrschte Platzmangel im Doppelbett und die beiden Männer sollen um die Wette gefurzt haben.

Das Wohnzimmer wollte Ayshe für ihre Gäste nicht öffnen. Die Einrichtung war ihr zu wertvoll. Der Raum war mit einer Eisentüre gesichert. Auf den weißen Ledersofas wollte sie niemanden schlafen lassen. Auch tagsüber blieb der Raum verschlossen. In der Küche, die als Aufenthaltsraum diente, gab es nebst einem kleinen Esstisch einen Fernseher. Während der paar Tage vor der Hochzeit nahm Aylin mindestens zwei Kilo zu. Ayshe strich ihr zum Frühstück Butterbrote dick mit Schoko-Nussaufstrich. Es standen Schalen mit Karamell-Stängeln und Keksen herum. Oft bestellten sie Take-away nach Hause. Am ersten Tag in Ankara hatte Selim für Aylin ein weißes Spitzenkleid gekauft. Sie sah darin aus wie eine kleine Braut. Am Tag der Hochzeit konnte Aylin den Reißverschluss nur mit Mühe schließen – dank Schoko-Nussaufstrich!

Ayshe und Alain stritten sich häufig, wie Selim mir nach seiner Rückkehr erzählte. Dabei schrien sie sich an und warfen sich gegenseitig Schimpfwörter an den Kopf. Selim war entsetzt, wie die beiden miteinander umgingen. Alain verhielt sich Selim gegenüber respektvoll. Die beiden verstanden sich zu diesem Zeitpunkt noch gut. Sie besuchten zusammen den Hamam, wo Selim seinem Schwiegersohn das Ritual erklärte. Ein paarmal kochten sie zusammen. Beide kochten gerne. Alain war zudem ein Gourmand, was nicht zu übersehen war. Noch eine Vorliebe teilten sie: Beide tranken gerne Whisky.

Selim organisierte und bezahlte den Blumenschmuck für Braut und Location. Ayshe und Alain hatten einen Nachtclub als Location ausgesucht. Wie Aylin mir erzählte, war es dort laut und dunkel. Es soll viel Essen gegeben haben, vor allem eine sehr gute Torte, von der viel übrig blieb, weil alle von den Vor- und Hauptspeisen satt waren. Feride ermahnte Aylin in strengem Ton aufzuessen – erfolglos. Hätte Aylin immer aufgegessen, wenn ihr Vater oder ihre türkische Verwandtschaft es verlangte, wäre sie mit Sicherheit pummelig, wenn nicht gar übergewichtig geworden.

Cem hatte seine Freundin Pelin mitgebracht, obwohl diese nicht eingeladen worden war. Die gesamte Verwandtschaft war gegen die Beziehung, allen voran Ayshe. Es gab nämlich eine andere junge Frau, die in Cem verliebt war. Özlem war die Tochter von Esma, einer Freundin von Semra. Selim glaubte nicht als Einziger, dass Özlem sehr gut zu Cem gepasst hätte. Sie war echt verliebt ihn Cem und hatte noch keine Männergeschichten hinter sich. Aylin schilderte mir später, wie eng umschlungen Pelin mit anderen männlichen Freunden getanzt und sogar herumgeschmust habe. Gleichzeitig plante sie anscheinend bereits die Hochzeit mit Cem.

Brautmutter Semra war stolz auf Ihre Tochter und den *reichen* Schwiegersohn. Feride war ohne Mann, der Herzprobleme hatte, angereist, um an der Hochzeit ihrer Nichte teilzunehmen. Selims älterer Bruder Erhan war mit seiner Frau Emine aus Istanbul angereist. Der jüngere Bruder Ahmed war mit Frau Bilge sowie Sevim, der jüngeren ihrer zwei Töchter, dabei. Zudem waren Freunde und Bekannte der Brautfamilie anwesend. Ömer war auf Alains Wunsch dessen Trauzeuge. Wie Ayshe mir später erzählte, war Alain vor der Heirat zum islamischen Glauben übergetreten. Einige Jahre später kehrte er – wie Ayshe wiederum erzählte – zum katholischen Glauben zurück. Das war, nachdem sich die beiden immer wieder so heftig stritten, dass sie ein paarmal die Polizeiwache aufsuchen mussten und Alain danach nur noch ein paarmal nach Ankara kam, um seine wertvollsten Gegenstände abzuholen. Sie waren beide verwarnt worden. Bei Handgreiflichkeiten, die auf der Polizeiwache endeten, drohte eine Gefängnisstrafe.

Eine knappe Woche waren Selim und Aylin für Ayshes Hochzeit in Ankara. Ich erholte mich in dieser Zeit. Nach der Arbeit kam ich nach Hause und konnte tun, was ich wollte. Zweimal ging ich joggen, was ich sonst aus Zeitmangel nie tat.

Im Sommer desselben Jahres reisten wir nicht in die Türkei. Das Ferienbudget war aufgebraucht. Selim hatte sich mit den Betreibern des lokalen türkischen Supermarkts angefreundet. Oft verbrachte er ein paar Stunden dort, kochte zum Beispiel ein Mittagessen für die Belegschaft. Dafür bekam er Sachen aus dem Supermarkt geschenkt. Einmal bekam er ein *Oklava* – einen türkischen Teigroller. Da ein Teil der Belegschaft – es war ein Familienbetrieb – die Schulsommerferien oder einen Teil davon in der Türkei verbrachte, kam Selims Hilfe gelegen. Ein paar Wochen lang stand er morgens in aller Früh auf, um mit dem Inhaber des Supermarkts zum Großhändler zu fahren. Dort kauften sie Gemüse und Früchte ein. Danach half er beim Nachfüllen von Regalen. Zwei Wochen hatte ich Urlaub und blieb zu Hause. Während dieser Zeit half Selim von früh bis spät im türkischen Supermarkt. Ich weiß nicht, was er dafür bezahlt bekam – wahrscheinlich ein paar Hundert Franken auf die Hand. Er war sehr stolz und zufrieden. Es hat geschmerzt, dass es Leute gab, die ihm unterstellten, er wolle nicht arbeiten.

Alain trat für seine Firma eine Stelle in Tokyo an. Das mag einer der Gründe gewesen sein, weshalb er Ayshe plötzlich doch heiratete. Ayshe begleitete ihn nach Tokyo. Sie freuten sich sehr auf ihren mehrjährigen Aufenthalt in Japan. Meistens ist die Vorfreude das Schönste. Die Realität sah bald anders aus als Ayshes Träume von ihrem Japan-Aufenthalt. Sie rief Selim regelmäßig an. So bekamen wir mit, wie es in der Beziehung zwischen Ayshe und Alain immer stärker kriselte. Ayshe beklagte sich, Alain zeige zu großes Interesse an anderen Frauen. Waren sie bei Japanern eingeladen, bekamen beide fremde Tischpartner. Ayshe empörte sich derart über diesen Zustand, dass man hätte meinen können, sie seien zu Swinger-Partys eingeladen gewesen. Ihre Eifersucht war derart groß, dass sie ihrem Mann nicht einmal eine andere Frau als Tischnachbarin gönnte. Sie glaubte allen Ernstes, die Gastgeber hätten einen Partnertausch beabsichtigt.

Elf Monate nach der Hochzeit reisten Alain und Ayshe für einen Urlaub nach Frankreich. Von dort besuchten sie uns für ein Wochenende. Ayshe hatte allerlei Mitbringsel aus Japan dabei. Kaum eingetroffen, gingen die beiden mit Selim einkaufen, während ich putzte und das Sofa im Gästezimmer zu einem Doppelbett auszog. Alains geöffneter Koffer lag auf dem Boden neben dem Bettsofa. Aylin vertraute mir später an, dass sie auf der Wäsche in Alains Koffer Kondome gesichtet habe. „Warum braucht er Kondome?“, fragte sie mich. „Ayshe wünscht sich doch ein Kind. Und ich würde gerne Tante werden.“ Tatsächlich hatte Ayshe darüber gesprochen, dass sie gerne Mutter werden würde. Sie wünschte sich eine Tochter. Sie hatte von Selim ein Pfannenset geschenkt bekommen, das sie für ihre ungeborene Tochter aufbewahrte. Alain hatte sich bisher halbherzig zum Kinderwunsch geäußert. Er hatte zwei erwachsene (oder fast erwachsene?) Töchter. In Japan wohnten Alain und Ayshe in einem Hotel und waren oft eingeladen. Zu diesem Lebensstil passte ein Baby schlecht.

Wir verbrachten ein schönes Wochenende mit Ayshe und Alain, aßen gut und gingen zum nahen Eisfeld. Aylin und ich drehten einige Runden, während Alain, Ayshe und Selim vom Restaurant aus zusahen. Bevor Alain und Ayshe am Sonntag zurückreisten, begleitete Selim sie zu einem Bummel in Zürich. Als Ayshe endlich fertig geschminkt und die drei aus dem Haus waren, räumte ich den Esstisch ab und die Küche auf. Alain hatte seine neue Kamera dabei und schoss fleißig Bilder. In einem Feinkostgeschäft im Hauptbahnhof kaufte Selim für Alain Schweizer Käse, weil er von Ayshe wusste, dass Alain diesen gerne mochte. Die Tüte übergab er Alain und riet ihm, die Kamera ebenfalls in der Tüte zu verstauen, weil er so nur auf eine Sache achtgeben müsse. Diesem Rat folgte Alain leider nicht. Während der Zugfahrt hielt er die Tüte mit dem Käse auf seinem Schoss, während die Kamera neben ihm auf der Bank lag. Beim Aussteigen vergaß er prompt die Kamera. Bei uns zu Hause angekommen, bemerkte Alain, dass die Kamera fehlte. Der Zug war natürlich längst weitergefahren. An der Endhaltestelle werden jeweils vergessene Objekte eingesammelt. Tags darauf setzte ich mich sofort mit der Fundstelle in Verbindung. Die Kamera wurde jedoch nie gefunden. Hoffentlich hat wenigstens der Käse geschmeckt!

Kurz darauf heirateten Cem und Pelin. Diesmal reiste Selim allein nach Ankara. Er verkaufte seine goldene Halskette und schenkte den Erlös – gut tausend Euro bekam er dafür – dem Brautpaar. Offenbar genügte das weder dem Brautpaar noch den Brauteltern. Der Bruder der Braut forderte Selim auf, die Braut gegen ein Entgelt abzuholen. Sie wartete auf der Truhe, die ihre Aussteuer beinhaltete. Selim weigerte sich. Er hatte dieser Heirat nie zugestimmt. Sein Bruder Ozan hatte bei den Brauteltern um die Hand ihrer Tochter angehalten – auf Wunsch von Cem und Semra. Ausgerechnet Ozan fehlte aber an der Hochzeit.

Cem wünschte sich, dass seine Mutter vor ihrer Hochzeit die Zähne machen lasse. Er wollte nicht, dass sie mit ihren Zahnlücken auf seiner Hochzeit erschien. Sie sagte, es fehle ihr das Geld, sich ein Gebiss anfertigen zu lassen. Selim erinnerte sie daran, dass sie mit ihrer Rentenberechtigung automatisch krankenversichert war und sich damit vom Zahnarzt der Versicherung ein Gebiss anfertigen lassen konnte. Sie sagte, sie wolle Porzellanzähne. Ihre Versicherung bezahle nur ein billiges Material. Am Ende bezahlte Alain, der *reiche* Schwiegersohn, ein Gebiss aus Porzellanzähnen. Er und Ayshe reisten für die Hochzeit aus Frankreich an.

Die Hochzeit von Cem und Pelin fand im März statt. Im Juli desselben Jahres reisten wir für drei Wochen nach Alanya, wo wir in einem Aparthotel wohnten. Ayshe und Alain reisten aus Tokyo an, wo Alain inzwischen wieder stationiert war. Oft verbrachten wir Zeit zusammen am Kleopatra-Strand. Auch Cem und Pelin trafen wir öfters. Wir luden sie zu einem Mahl mit Riesencrevetten ein. Direkt am Strand war für uns ein Tisch gedeckt worden und wir konnten uns den Bauch mit Riesencrevetten vollschlagen – die Füße im Sand. Damals schien die Beziehung zwischen Ayshe und Alain harmonisch zu sein und Ayshe schien es gesundheitlich gut zu gehen. Das sollte sich leider bald ändern.

Dieser Urlaub ließ mich eine bestimmte Sorge beinahe vergessen. Kurz bevor wir in die Ferien reisten, hatte ich nämlich einen Knoten am Zungenrand entdeckt. Ich biss ein paarmal auf die Stelle und es tat entsetzlich weh. Eines Tages ertastete ich die Stelle mit dem Finger und erschrak. Da war ein Knoten. Ich hätte den Urlaub absagen und mich sofort in ärztliche Behandlung begeben können. Dazu konnte ich mich nicht entscheiden. Wir drei hatten uns so auf diese Reise gefreut. Drei Wochen blieben wir am Mittelmeer. Die meiste Zeit gelang es mir, die Gedanken an den Knoten zu verdrängen.

27.
Diagnoseschock für mich

Als wir aus dem Urlaub zurück waren, meldete ich mich in der Universitätsklinik zu einer Untersuchung an. Ich bekam für ein paar Wochen später einen Termin. Auf ein paar Wochen kam es jetzt wohl auch nicht mehr an. Es hätte sich schlussendlich nichts geändert. Ich war keine neue Patientin. Drei Jahre zuvor war ich bereits dort gewesen, weil ich oft ein Brennen am Zungenrand verspürte und sich ein weißer Fleck gebildet hatte. Eine Biopsie hatte damals ergeben, dass sich Zellen zu einer Vorstufe von Krebs verändert hatten. Ich war operiert worden. Danach konnten keine veränderten Zellen mehr nachgewiesen werden. Also, halb so schlimm – dachte ich damals. Während ich auf den Untersuchungstermin wartete, googelte ich im Internet nach Zungenkrebs. Ich las über Basaliome und Spinaliome und hoffte, mein Knoten möge nur ein Basaliom sein, eine weniger aggressive Art von Hautkrebs.

Nach drei Gewebeproben stand fest, dass ich ein Spinaliom am Zungenrand hatte. Die Diagnose erhielt ich just an meinem Geburtstag. Die Worte des Arztes „Das habe ich mir gedacht" klangen in meinen Ohren wie Schelte. Ich hatte es so weit kommen lassen, dass ich an einem aggressiven Tumor litt. Warum ich? Ich hatte nie geraucht, keine einzige Zigarette. Ab und zu trank ich ein Glas Wein zum Essen. Das war alles, was ich an Alkohol zu mir nahm.

Meine Tochter war elf Jahre alt, noch ein Kind. Sie brauchte mich. Mit der Diagnose Krebs in den Ohren musste ich zu meiner Arbeit zurückkehren. Einer meiner Lieblingsklienten war da und fragte mich, wie es gehe. Ich musste mich gehörig zusammenreißen. Die Büropartnerin meines Chefs sagte später, sie hätte in meiner Situation nicht so ruhig sein können. Ich war nur äußerlich ruhig. In meinem Innern sah es ganz anders aus. Während ich auf den Operationstermin wartete, hatte ich oft das Gefühl, ich bekomme keine Luft mehr. Auch bildete ich mir ein, ich hätte bereits Ableger in der Lunge, weil ich just in jenem Jahr einen hartnäckigen Husten fast nicht wegbrachte.

Am Abend, nachdem ich die Diagnose erhalten hatte, wartete kein tröstender Partner auf mich. Selim war zu dieser Zeit selber im Krankenhaus. Er hatte an einem Kropf gelitten und diesen jetzt operieren lassen. Da ich zuvor bereits Probleme an der Zunge hatte und diese sich als scheinbar nichts Ernsthaftes herausstellten, glaubte er nicht, dass es dieses Mal ernst war. Aylin wartete auf mich. Sie hatte einen Makkaroni-Auflauf gemacht, da ich Geburtstag hatte. Ich musste mich zusammennehmen, um mir die Schock-Diagnose vom Nachmittag nicht anmerken zu lassen.

Ich wurde operiert, ging regelmäßig zur Nachsorge und wurde letztendlich als gesund entlassen. Nur die Narbe am Hals – wo ein Lymphknoten entfernt worden war – erinnerte mich an meine Erkrankung. Ich hatte die besten Vorsätze. Von nun an wollte ich alles besser machen, gelassen werden, mich nicht mehr so schnell ärgern. Ich dachte auch darüber nach, das Arbeitspensum zu reduzieren, einerseits um weniger Stress zu haben, anderseits hatte ich just zum Zeitpunkt der Diagnose eine Weiterbildung begonnen.

Der Lehrgang fand einmal pro Woche abends statt. Wir waren ungefähr zwanzig Schüler, mehrheitlich Frauen. Es bereitete mir Spaß, wieder einmal die Schulbank zu drücken und neue Leute kennenzulernen. Ich freundete mich mit meiner Banknachbarin Cordula an. Sie machte für mich Notizen, als ich infolge der Operation abwesend war. Bereits eine Woche später nahm ich wieder am Unterricht teil. Sonst hätte ich zu viel Stoff nachholen müssen. Das Sprechen bereitete mir zwar noch Mühe. Trotzdem beteiligte ich mich mündlich am Unterricht, was ich eigentlich nicht vorgehabt hatte. Doch niemand ließ sich ob meiner etwas undeutlichen Aussprache etwas anmerken.

Selim sagte mir, Oberst Meyer, der – obwohl inzwischen pensioniert – für den Geheimdienst arbeitete, habe ihn angefragt, ob er für ihn arbeiten wolle. Selim solle ihn mit Informationen beliefern betreffend die politische Lage in der Türkei, aber auch betreffend Moslems in der Schweiz. Er solle sich in Moscheen herumhören, was dort gesprochen werde. Für jede Information solle er entschädigt werden. Wie hoch die Entschädigung sein würde, wusste Selim nicht. Oberst Meyer habe keinen Betrag genannt, nur gesagt, es handle sich um Schwarzgeld. Ich gebe hier nur wieder, was Selim mir gesagt hat. Er meinte zu mir, er werde mit den gewünschten Informationen künftig einige Tausender pro Monat verdienen. Ich verließ mich nicht auf diese Angabe, konnte es nicht glauben. Deshalb reduzierte ich mein Arbeitspensum vorsichtigerweise nur um 10% auf 90%, das heißt, ich nahm mir einen freien Nachmittag pro Woche für meine Weiterbildung.

Oberst Meyer schickte eine Assistentin, um Selim am Hauptbahnhof in Zürich zu treffen und die Höhe der Zahlungen zu vereinbaren. Selim kehrte völlig ernüchtert von diesem Treffen zurück. Er hatte die Mitarbeit abgelehnt. Zwanzig Franken hätte er pro Information bekommen. Danach hörte er einige Zeit nichts mehr von Oberst Meyer. Später fing Selim jedoch an, Artikel aus türkischen Zeitungen zu sammeln und Berichte zu verfassen, die jedoch nie den Weg zu Oberst Meyer fanden.

28.
Ayshe hat psychische Probleme

Ein Jahr später waren Alain und Ayshe wieder auf Heimaturlaub. Ayshe ging es psychisch nicht gut. Alain buchte ihr einen Flug, damit sie uns für eine Woche besuchen konnte. Da ich wochentags zur Arbeit ging, konnte Ayshe viel Zeit alleine mit ihrem Vater verbringen, was den beiden guttat. Selim entging nicht, dass Ayshe psychische Probleme hatte. Sie erzählte ihm, dass sie und Alain vor einigen Tagen in Frankreich bei der Einfahrt in eine Tiefgarage überfallen worden seien. Die Täter hätten ihr die Handtasche entreißen wollen. Als sie diese nicht hergeben wollte, habe einer der beiden ihr die Faust ins Gesicht geschlagen. Sie vermute, Alain sei Mitglied eines Geheimdienstes und sie seien deshalb überfallen worden.

Am Tag vor der geplanten Rückreise nach Frankreich – es war Sonntag – musste Selim seine Tochter notfallmäßig ins nächstgelegene Krankenhaus fahren. Wegen einer angeblichen Darmblutung hatte ich zuerst den diensthabenden Notarzt anrufen müssen. Der riet uns das Krankenhaus aufzusuchen. Ayshe rief Alain an und heulte ihm vor, sie habe Darmkrebs und sterbe wahrscheinlich bald. Sie könne ihn nicht mehr nach Japan begleiten. Im Krankenhaus stellte sich heraus, dass Ayshe an Hämorrhoiden litt. Eine Ärztin untersuchte sie und verschrieb ihr eine Salbe. Ich war nicht überrascht. Es war mir damals schon klar, dass Ayshe einen Psychologen oder gar einen Psychiater brauchte. Sie hatte uns gesagt, dass sie manchmal Stimmen im Kopf höre.

Diesmal reiste Alain alleine nach Japan zurück. Ayshe reiste nach Ankara, um sich medizinisch untersuchen zu lassen. Der

Untersuchung folgten zwei Operationen. Die Mandeln sowie Nasenpolypen wurden entfernt. Gleichzeitig richtete der Arzt ihre Nase. Der Nasenbeinhöcker sei zertrümmert gewesen, sagte uns Ayshe später. Als sie den Arzt auf die Stimmen in ihrem Hirn angesprochen habe, habe dieser gesagt, das sei jetzt behoben. Die Polypen in der Nase hätten zu Sauerstoffmangel geführt. Ayshe ließ sich nach der Entlassung aus dem Krankenhaus von ihrer Mutter pflegen. Semra kochte für ihre Tochter Suppen und andere leichte Speisen. Als sich Ayshe erholt hatte, reiste sie wieder zu ihrem Mann nach Tokyo. Alain kaufte ihr einen kleinen Schoßhund – einen Japan Chin –, sozusagen als Trostpflaster für den Kinderwunsch, den er ihr nicht erfüllen wollte oder konnte.

Eines Tages, als Ayshe Selim anrief, merkte er gleich, dass sie außer sich war. Mit empörter Stimme sagte sie, Alain habe sie aus der Wohnung geworfen, um mit seiner japanischen Geliebten allein zu sein. Sie habe sich in Tokyo zur türkischen Botschaft durchgefragt. Dort angekommen, habe sie um Hilfe gebeten. Man möge ihr das Geld leihen für einen Rückflug in die Türkei. Die türkische Botschaft habe sich nicht hilfsbereit gezeigt, beklagte sie sich bei Selim. Auch als sie erwähnt habe, ihr Ehemann wolle sie umbringen, habe man ihr nicht geholfen. Sie sagte zu Selim, sie habe Alain ertappt, wie er Tropfen in ihr Trinkwasser geben wollte. Sie sei überzeugt, dass er sie vergiften wolle, um sie loszuwerden und mit seiner japanischen Geliebten zusammen sein zu können. In Wirklichkeit hatte Ayshe die Tropfen von einem japanischen Arzt verschrieben bekommen, in dessen Sprechstunde Alain sie gebracht hatte, nachdem sie begonnen hatte Stimmen in ihrem Kopf zu hören und sich Zwischenfälle einbildete. Das Medikament sollte die Symptome ihrer Krankheit lindern.

29.

Werde ich arbeitslos?

Wir konnten zwei Jahre nacheinander nicht in den Urlaub, das heißt nicht in die Türkei fliegen. Zuerst konnten wir keinen Urlaub machen, weil uns die Mietwohnung gekündigt worden war. Wir fanden eine 3½-Zimmerwohnung in einer neuen Überbauung, die für uns bezahlbar war. Wir mussten jedoch Geld und Zeit in den Umzug stecken. Als wir den Umzug hinter uns gebracht hatten, begann für mich die Suche nach einer neuen Arbeitsstelle. Als alleinige Ernährerin unserer Familie brauchte ich eine 100%-Anstellung. Im Herbst bezogen wir die neue Wohnung. Bis im Frühjahr musste ich eine neue Anstellung gefunden haben. Ich stand unter Druck und hatte folglich vermehrt Migräneanfälle. Dies wiederum ließ mich daran zweifeln, eine gute Mitarbeiterin zu sein, obwohl ich kaum ausfiel wegen Migräne. Ich litt vielmehr still vor mich hin. Es gestaltete sich schwierig mit der Stellensuche; ich war inzwischen nicht mehr dreißig.

Mein damaliger Chef hatte eine Nachfolgerin für mich gefunden, die nach den Frühlingsschulferien für 50% – was ihm reichte – wieder in den Beruf einsteigen wollte. Ihre zwei Töchter waren im Teenageralter und sie war frisch geschieden. Sie brauchte und wollte die Stelle. Meinem Chef war sie nicht unbekannt. Sie hatte vor ihrer Heirat bereits für ihn gearbeitet. Er kündigte mir den Job. Als ich daraufhin eine Stelle fand, hätte ich vor Ablauf meiner Kündigungsfrist am neuen Ort beginnen sollen. Mein Chef würde mich unter den Umständen doch sicher vor Ablauf der Kündigungsfrist gehen lassen. Davon waren meine beinahe künftigen Arbeitgeber überzeugt. Dem war aber nicht so. Ich musste bis zum Ablauf der Kündigungsfrist bleiben, abzüglich der zehn Tage Urlaub, die mir noch zustanden.

Damit passte der Zeitplan genau, dass ich meine Nachfolgerin noch zwei Tage einarbeiten konnte. Danach wurde ich nicht mehr gebraucht. Als mein letzter Arbeitstag kam, hatte ich keine neue Anstellung gefunden. Ich fand mich damit ab, arbeitslos zu werden. Wenigstens würde ich von der Arbeitslosenversicherung Geld bekommen – wenn auch nur 80% des letzten Gehaltes. Und ich arbeitete ja seit meiner Krankheit 90%. Wir würden eben den Gürtel noch enger schnallen müssen. Mir ging durch den Kopf, ich könnte die Zeit nutzen, um ein Buch zu schreiben, was ich schon lange tun wollte. Mit diesem Gedanken wurde ich ruhig. Ich hatte keine Angst mehr vor der Arbeitslosigkeit – im Gegensatz zu meinem Vater. Er machte sich Sorgen, wie wir drei es schaffen würden. Für die Eltern bleiben Kinder eben immer Kinder.

Als all die Anspannung von mir abgefallen war und ich noch den Urlaub hätte genießen können, wurde ich krank. Ich lag mit Fieber im Bett, als ein Anruf von einer Firma kam, bei der ich mich vor einigen Wochen für eine Stelle als Sekretärin der Firmenanwältin beworben hatte. Mit der Stelle hatte es nicht geklappt, weil ich keine Erfahrung im Serienbrief-Versand hatte. Jetzt rief mich die Personalverantwortliche an, um mir eine andere Stelle anzubieten. Ich möge zu einem Anstellungsgespräch vorbeikommen. Es klappte mit der Stelle. Es waren alle sehr nett am neuen Arbeitsplatz.

Selim sehnte sich sehr nach seinem Heimatland. Ich schlug vor, er solle für ein paar Tage oder Wochen hinreisen. Ich konnte unmöglich weg. Erol, ein sehr guter langjähriger Freund aus Ankara, war vor einiger Zeit an Krebs erkrankt. Es ging ihm schlecht. Er wurde mit Chemotherapie behandelt, glaubte aber nicht mehr an eine Heilung. Ich überzeugte Selim, Erol zu besuchen. Nach und nach konnte er sich mit der Idee, alleine in die Türkei zu reisen, anfreunden. Bei dieser Gelegenheit wollte er auch seinen Freund Ömer in Istanbul besuchen. Dieser hatte sich in einem Vorort unweit des Atatürk-Flughafens eine Wohnung gekauft. Dort lebte er mit Banu und den zwei gemeinsamen Kindern – der damals sechsjährigen Tochter Arzu und dem vierjährigen Sohn Hakan.

Im Nachhinein muss ich sagen, dass es keine gute Idee war, Selim alleine reisen zu lassen. Obwohl er für drei Wochen in der Türkei war, sah er seinen kranken Freund Erol nur einmal. Die übrige Zeit verbrachte er mit Ömer, welcher offenbar gerade in einer Beziehungskrise steckte. Die Eltern von Banu waren oft zu Besuch. Diese wussten nicht, dass Ömer noch mit seiner ersten Frau Meryem verheiratet war. Sie waren überzeugt, Ömer sei mit Banu verheiratet und somit ihr rechtmäßiger Schwiegersohn. Ömer und Banu mussten ständig auf der Hut sein, um sich nicht zu verraten.

Kaum war Selim angekommen, meldeten sich die *Schwiegereltern* wieder einmal zu Besuch an. Ömer entschied mit Selim nach Bodrum zu fahren. Dort hatten er und Meryem eine Ferienwohnung; seine Segeljacht lag ganz in der Nähe vor Anker. Ömer hatte einen Bekannten damit betraut, seine Segeljacht während des Winters instand zu halten. Sobald die Schulferien begannen, würden er und Banu mit den Kindern an der Küste entlangsegeln. Auf diese Weise verbrachten sie die Sommer. Beneidenswert, nicht wahr? So ein Leben könnte ich mir auch vorstellen. Es müsste nicht unbedingt auf einer Segeljacht sein, aber jedes Jahr ein bis zwei Monate am Meer zu verbringen würde mir auch gefallen.

Selim hatte sich schon lange gewünscht, mitsegeln zu können. Sie segelten diesmal aber nicht. Von morgens bis abends ging es um das Wohlergehen der Jacht und wie der Bekannte bei Laune gehalten werden konnte. Er musste groß zum Essen ausgeführt werden. Selim spielte die zweite Geige – außer wahrscheinlich, wenn es ums Bezahlen ging. Er rief seine Schwester Feride an und fragte sie, ob er sie für ein paar Tage besuchen könne. Als Feride hörte, dass ihr Bruder alkoholisiert war, wehrte sie entschieden habe. Es passe jetzt nicht. Fast täglich kämen Freundinnen zu Besuch, mit denen sie die Nachmittage verbringe. „In zwei Wochen kannst du kommen“, lenkte sie ein. Da war Selim aber nicht mehr in der Türkei. Seinen Rückreisetermin konnte er nicht verschieben. Er hätte ein neues Flugticket kaufen müssen. Feride sah ihren Bruder nie mehr. Als wir uns wieder Urlaub leisten konnten, reisten wir an andere Orte in der Türkei.

Als Selim von seiner Reise zurück war, verschlechterte sich seine Stimmung zusehends. Er sagte mir, was ihn so sehr beschäftigte. Ömer habe ihn gefragt, ob er den Erlös aus dem Verkauf unseres Mercedes von ihm erhalten habe. Diese Frage kam Selim suspekt vor. Hatte Ömer ihm verschwiegen, wie viel er tatsächlich für den Wagen bekommen hatte und ihm eine kleinere Summe ausbezahlt? Ich beruhigte Selim: „Ömer würde dir diese Frage nicht gestellt haben, wenn er dich übers Ohr hauen wollte. So dumm ist er nicht. Er würde dich nicht an den Verkauf erinnern, wenn es so wäre." Da musste mir Selim zwar recht geben. Trotzdem hörte er nicht auf zu grübeln und verschanzte sich immer mehr im Glauben, alle wollten ihn übers Ohr hauen. Es ging so weit, dass er den Kontakt zu Ömer einstellte. Mir fehlten seine Telefonate mit Ömer, wenn er jeweils laut rief: „Hallo, was macht ihr dort unten?"

Erol hatte sich sehr gefreut, dass Selim ihn besucht hatte. Seine Frau, Dilara, rief eines Tages an und sagte zu Selim, wie dankbar sie und Erol ihm seien; denn Selim hatte ihnen vor Jahren einen namhaften Geldbetrag ausgeliehen, als wir mit unserem Geschäft eine erfolgreiche Phase hatten. Mit diesem geliehenen Geld konnte er ein Bauprojekt beenden und schlussendlich viel damit verdienen. Deshalb wollte Erol seinem Freund Selim einen neuen Fernseher schenken. Selim hatte ihm gesagt, dass unser Fernseher immer wieder aussetzte und er gerne einen neuen hätte. Der Umzug in die neue Wohnung kostete uns gut einen Tausender. Zudem mussten wir einige Möbel neu anschaffen und Vorhänge nähen lassen. Selim nahm das Geschenk seines Freundes Erol an und kaufte sich das neuste Modell eines Fernsehers. Bald darauf verstarb Erol. Davor hatten wir ihm ein paarmal Pralinen geschickt. Mit Kirsch oder anderem Schnaps gefüllte liebte er besonders. Viel Alkohol ist da nicht drin, mehr Zucker. Er liebte aber auch ab und zu ein Glas Raki. Das erlaubte ihm Dilara. Wieso sollte er seine letzte Zeit nicht mehr genießen dürfen?

Ein Jahr später leisteten wir uns in den Herbstschulferien endlich wieder einen Familienurlaub in der Türkei. Ich buchte für uns drei eine zehntätige Reise nach Kuşadası, wo wir in einer einfachen Clubanlage wohnten. Wir reisten zu Saisonende, gehörten zu den letzten Gästen, bevor die Anlage für den Winter und – was wir nicht wussten – für Erneuerungsarbeiten geschlossen wurde. Wir hatten einen kleinen zweistöckigen, einfach eingerichteten Bungalow für uns. Die Anlage war stark begrünt, hatte einen eigenen Strand und das Essen war hervorragend. Im Preis inbegriffen waren drei Mahlzeiten pro Tag und Kaffee, Tee und Wasser zu jeder Tageszeit. Es war Oktober und regnete ein paarmal. Ich saß dann jeweils unter dem Dach vor dem Bungalow und las in einem Buch. Diese Anlage hatte ich ausgewählt, weil ich etliche Jahre zuvor mit Selim ein paar Tage dort weilte und es mir so gut gefallen hatte. Der kleine Strandabschnitt war mit Palmen gesäumt. Überall zwischen den Bungalows wuchsen Bäume und blühende Sträucher. Das Meer war an dieser Stelle ruhig wie ein See. Selim hatte Ayshe von unserer bevorstehenden Reise erzählt und sie gefragt, ob sie uns in Kuşadası besuchen wolle. Das wollte sie. Selim rief im Club an. Gegen einen Aufpreis, den wir direkt vor Ort zahlen mussten, durfte Ayshe in unserem Bungalow wohnen. Sie kam nach uns in der Clubanlage an. Ich erinnere mich noch gut an ihren großen Koffer. Darin hatte sie auch ein Geschenk für mich: einen silbern glitzernden Bettbezug aus schwerem Stoff und einen passenden Läufer für den Esstisch. Dieselbe Garnitur habe sie auch für Aylin erstanden, berichtete sie stolz. Vielleicht kämen wir sie ja einmal besuchen und konnten bei dieser Gelegenheit die zweite Garnitur mitnehmen. Zu einem Besuch in Ankara ist es jedoch nie gekommen.

Ayshe hatte ihren Schoßhund mitgenommen, obwohl in der Anlage Haustiere verboten waren. Da er so klein war, fand er Platz in einer mittelgroßen Handtasche. Sie besaß eine Tasche, die aussah wie eine Handtasche, aber für Schoßhunde bestimmt war. In dieser Tasche führte sie ihren Messi mit sich. Wir mussten ständig damit rechnen, erwischt zu werden. Sollte das eintreffen, wollte Ayshe sofort abreisen. Sie hatte ihren Messi – auch nicht nur für eine Woche – in ein Hundeheim geben wollen. Diesmal hatten wir *zwei* harmonische Tage zusammen. Am zweiten Tag besuchte Ayshe den Schönheitssalon der Anlage. Sie ließ sich die Beine wachsen und die Fingernägel maniküren. Aylin begleitete sie, während ich mit einem türkischen Kaffee auf einer Bank saß und Ansichtskarten schrieb. Irgendwann gesellte sich Aylin zu mir. Ich merkte, dass sie etwas beschäftigte, und fragte, wo Ayshe blieb. „Sie ist noch nicht fertig", antwortete Aylin. „Es hat mich geärgert, was sie der Kosmetikerin erzählt. Sie hat gesagt, ihr Mann sei Milliardär. Diese Angeberei geht mir auf den Nerv."

Als Ayshe später erschien, fragte sie, warum Aylin nicht gewartet habe. Aylin sagte nur, es sei ihr langweilig geworden. Selim fragte an dieser Stelle, ob wir einen Ausflug machen wollten. Dazu hatte ich in diesem Moment keine Lust. Ayshe sah, dass ich unter dem T-Shirt ein Bikini-Oberteil trug. Sie kommentierte ironisch, dass ich wohl lieber schwimmen würde, als mich mit Geschichtlichem zu bilden. Sie hätte gerne die Ausgrabung von Ephesos besucht. Da war ich zuvor schon ein paarmal. Selim ermahnte Ayshe, nicht respektlos zu werden.

Später beim Nachtessen konnte man Ayshes Unzufriedenheit spüren. Das Gespräch kam auf ihre Aufenthalte in Tokyo. Alles war schlecht in Japan, inklusive der Menschen. Da ich aus meiner Zeit in Stockholm japanische Freunde habe – drei Frauen, die in der japanischen Botschaft arbeiteten –, kam bei mir das große Bedürfnis auf, Land und Leute zu verteidigen. Da meine Türkischkenntnisse nicht perfekt waren, verstand mich Ayshe vielleicht auch falsch. Als sie vom Verkehr in Tokyo sprach, wollte ich ausdrücken, dass man in Tokyo das Autofahren lieber unterlässt. Sie verstand anscheinend, dass ich ihr das Autofahren in Tokyo nicht zutraute. Jedenfalls fuhr mich Ayshe dermaßen an, dass Aylin ganz erschrocken dreinschaute.

Wie Aylin mir später anvertraute, hätte sie Ayshe am liebsten eine Ohrfeige verpasst. Selim konnte sich nur mit Mühe beherrschen, als er Ayshe anfuhr: „Jetzt machst du aber in deinen eigenen Topf.“ Damit wollte er wohl sagen, dass Ayshes Verhalten mir gegenüber undankbar war. Ich bezahlte die Kosten für ihren Aufenthalt in der Anlage. Als wir nach dem Essen in unseren Bungalow zurückkehrten, begann Ayshe ihre Sachen zu packen. Sie hatte sich zuvor an der Rezeption erkundigt, wann es einen Bus nach Ankara gab. Wir konnten sie nicht davon abhalten, mitten in der Nacht abzureisen – wieder einmal! Es sollte jedoch nicht das letzte Mal sein, dass sie überstürzt abreiste.

30.

Semra ist krank

Etwa ein Jahr, nachdem Erol gestorben war, erfuhren wir, dass Selims Exfrau Semra an Unterleibskrebs erkrankt war. Sie wurde operiert und bald danach aus dem Krankenhaus entlassen. Jemand musste sie pflegen. So reiste Ayshe von Tokyo nach Ankara, um ihrer Mutter beizustehen. Sie ließ ihren Mann Alain ungerne alleine, da sie überzeugt war, dass er bereits eine Affäre mit einer Japanerin hatte. Nun würde er ungestört mit dieser Frau zusammen sein können, womöglich in ihrer Wohnung und in ihrem Bett. Die Gedanken an ihren vermeintlich untreuen Ehemann brachten Ayshe so sehr in Rage, dass sie sich überlegte, wie sie ihm das Fremdgehen heimzahlen könne. Am besten, indem sie viel Geld ausgab! Sie besaß eine Kreditkarte, die auf sein Konto lautete. So kaufte sie ein, was das Zeug hergab. Von einem Krankenhausbett für ihre Mutter – dem Alain sicher zugestimmt hätte – bis zu teuren Kosmetikprodukten und Kleidern. Auch für Besuche beim Friseur und im Schönheitssalon ließ sie einiges springen. Ich erfuhr es von Selim, den Ayshe am Telefon eingeweiht hatte.

Als Alain die Kreditkartenabrechnung gesehen habe, sei er ausgerastet. Kostete die Versorgung der Schwiegermutter so viel? Warum musste Ayshe alles berappen? Er nahm Urlaub und reiste nach Ankara, um nach dem Rechten zu sehen. Als Ayshe erfuhr, dass Alain bald kommen würde, wollte sie ihre Mutter nicht weiter in ihrer Wohnung wohnen lassen – trotz neuem Krankenbett. Sie wollte Alain nicht zumuten mit der kranken Schwiegermutter zusammenzuwohnen. Semra war die Harnblase entfernt und ein künstlicher Ausgang gelegt worden. Es soll ständig nach Urin gerochen haben. Also fuhr sie ihre Mutter kurz entschlossen zu deren eigener Mietwohnung, lud sie ab und machte sich von dannen.

Eine Nachbarin fand Semra später jammernd im Treppenhaus vor. Sie rief Cem an, der sofort mit Pelin angereist kam. Pelin war inzwischen Mutter geworden. Sie hatten einen kleinen Sohn – Engin. Cem brachte seine Mutter ins Krankenhaus, wo sie abermals operiert wurde. Diesmal wurde ihr ein Teil des Dünndarms und der Enddarm entfernt. Wie Cem mir später sagte, pflegte Pelin ihre Schwiegermutter. Ayshe war aus psychischen Gründen nicht in der Lage, für ihre Mutter etwas zu tun. Alain bot an, für Selim einen Flug nach Ankara zu buchen. Bezahlen würde er diesen mit seinen Flugmeilen. Er meinte, Ayshe brauche Unterstützung von ihrem Vater. Die ganze Verwandtschaft hacke auf ihr herum, weil sie nicht fähig sei, bei der Pflege ihrer Mutter mitzuhelfen.

Selim packte einen Koffer. Ich besorgte mehrere Kilogramm Schokolade – von weißer bis schwarzer, mit Nüssen und ohne Nüsse – als Mitbringsel und Dankeschön für den Flug. Das Taxi, das Selim am nächsten Morgen zum Flughafen bringen sollte, hatte ich auch schon bestellt. Gegen 21 Uhr kam ein Anruf aus Ankara. Ayshe schrie in den Hörer, Alain wolle sie umbringen. Selim hörte nebst Ayshes kreischender Stimme ein Gepolter. Der Schoßhund Messi bellte. Selim riet Ayshe, die Polizei zu rufen. Er konnte von hier aus nichts für sie tun. Kurz darauf soll die Polizei gekommen sein. Nachbarn hatten sie gerufen. Ayshe und Alain mussten mit auf die Polizeiwache und eine Aussage machen. Nachdem beide verhört worden waren, ließ die Polizei sie wieder gehen. Es gab keine Hinweise auf Körperverletzung oder Misshandlung. Dies sollte nicht der letzte Besuch der beiden auf der Polizeiwache bleiben.

Selim hatte seinen Bruder Ahmed angerufen. Er möge bei Ayshe nach dem Rechten sehen. Ahmed und seine Frau Bilge nahmen Ayshe mit zu sich nach Hause. Sie versuchten zwischen Alain und Ayshe zu vermitteln. Alain stornierte den Flug für Selim. Er bekam es mit der Angst vor seinem Schwiegervater zu tun. Weil wir das ahnten, rief ich auf Selims Wunsch beim Taxi-Unternehmen an und widerrief die Bestellung für den nächsten Morgen. Kurz darauf rief Ayshe an, um uns zu sagen, dass Alain den Flug storniert habe. „Es ist besser, wenn ich jetzt nicht komme“, sagte Selim zu seiner Tochter. „Ich könnte mich strafbar machen, wenn ich Alain begegnen würde.“

Ein paar Tage später verstarb Semra. Cem und Ayshe lösten den Haushalt ihrer Mutter auf. Die Habseligkeiten teilten sie unter sich auf. Alain habe Gegenstände eingepackt für Ayshe, ohne ein Wort zu sagen. Das erfuhr Selim von seinem jüngsten Bruder Ozan, der anscheinend dabei war und mithalf. Kurz danach kaufte sich Cem einen nagelneuen Personenwagen – so jedenfalls wurde Selim von Ayshe informiert. Cem hatte während der letzten Zeit immer gejammert, er könne finanziell nicht zur Pflege der Mutter beitragen, aus Geldnot. Woher kam jetzt plötzlich das Geld für den neuen Wagen. Ayshe hegte einen Verdacht, der gar nicht so abwegig war. Möglicherweise hatte ihre Mutter jahrzehntelang ihre Rente kaum angetastet, das Geld in Euros oder Dollars eingetauscht und unter der Matratze gehortet.

Die allerletzte Mietzinszahlung für die Wohnung der Schwiegermutter hatte Alain nicht mehr bezahlt. Er war am Punkt angelangt, wo er sich fragte, warum immer er alles berappen müsse. Da musste Cem wohl oder übel die Rente der Mutter dafür opfern. Bevor sie verstarb, verriet sie dann vermutlich ihrem Sohn, wo ihre angesparten Renten lagen. Auf einer Bank war das Geld nicht angelegt. Offiziell hinterließ sie weder Geld noch Gold – allenfalls Schmuck. Ayshe beklagte sich, dass sie nicht einmal die Kaution zurückerhielt, welche Alain geleistet hatte, als ihre Mutter die Mietwohnung bezog. Ihre Mutter dachte wahrscheinlich, Ayshe brauche ihr Geld nicht, da sie einen reichen Ehemann habe.

31.

Ayshe fordert Geld von ihrem Vater

Nach dem Tod ihrer Mutter begleitete Ayshe ihren Ehemann wieder nach Japan. Ihre psychische Krankheit besserte sich jedoch nicht. Nach einem schweren Erdbeben in Japan schickte Alain sie zurück in die Türkei. Sie war noch immer überzeugt, er habe eine japanische Geliebte und wolle sie loshaben, wenn nötig sogar umbringen. Eines Tages, als Ayshe wieder bei uns anrief, bat sie Selim um eine größere Summe Geld. Als er fragte, wofür sie das Geld brauche, sagte sie: „Ich habe einen neuen Personenwagen gekauft, da der alte nicht genug Platz für Koffer bietet, wenn wir in der Türkei verreisen. Zudem hatten wir im März unser fünfjähriges Ehejubiläum. Alain hat mir noch kein Geschenk gemacht." Das war ihr dritter Personenwagen, während wir immer noch denselben Gebrauchtwagen fuhren, den wir zwölf Jahre zuvor erstanden hatten. „Ihr seid oder zumindest Alain ist doch die meiste Zeit im Ausland. Wieso braucht ihr da überhaupt einen Personenwagen, geschweige denn einen größeren?", fragte Selim. „Ihr könntet doch einen Wagen mieten, wenn ihr in der Türkei in die Ferien fahren wollt."

Ayshe hatte den Wagen auf Abzahlung gekauft, ohne das nötige Geld oder die Einwilligung von Alain zu haben. Dieser weigerte sich den Wagen zu bezahlen, da er vor dem Kauf nicht gefragt worden war. Die erste Rate war fällig. „Bring den Wagen zurück", riet Selim seiner Tochter. „Das geht nicht", entgegnete sie. „Ich habe es versucht, der Händler nimmt den Wagen nicht zurück." Ayshe jammerte Selim vor, sie habe kein Geld mehr für Essen, wenn sie die Rate bezahle. „Soll sie doch die Reifen ihres neuen Wagens kauen!", empörte ich mich. „Irgendwann muss sie doch erwachsen werden." Selim schickte diesmal kein Geld. Ayshe hatte bei ihrer Hochzeit Goldschmuck und -münzen geschenkt bekommen. Die lagen im Tresorfach einer Bank. Bei jeder Rate, die fällig wurde, verkaufte Ayshe einen Teil ihres Goldes; denn Alain weigerte sich ebenso standhaft, den Wagen abzuzahlen, wie Selim es tat.

„Ich finde, dein Vater könnte für dich aufkommen", soll Alain zu Ayshe gesagt und sie geantwortet haben, „behalte dein Geld, ich will nichts von dir." Eine sehr kluge Aussage einer Ehefrau, die weder mit einer Arbeit noch sonst wie ein Einkommen erzielt! Ayshe hielt Selim vor, er habe zu wenig für sie getan. „Alain hat für seine beiden Töchter in Frankreich ein Grundstück gekauft, auf welchem sie später ein Haus bauen können."

Eine Nachbarin von Ayshe war Rechtsanwältin. Sie verschaffte Ayshe eine Stelle als Sekretärin in einer Anwaltskanzlei. Am dritten Arbeitstag sagte ihr die Vorgesetzte, man könne sie leider nicht weiter beschäftigen. Sie genüge den Anforderungen nicht. Ayshe fand bald wieder eine Stelle. Interessant ist, dass sie vor der Heirat anscheinend keine Stelle fand. Inzwischen war sie nicht jünger geworden. Trotzdem schien es für sie einfacher zu sein, eine Stelle zu finden. Leider konnte sie an keiner Stelle länger als ein paar Wochen bleiben, nämlich bis die Vorgesetzten merkten, dass ihre Fremdsprachenkenntnisse – Englisch und Französisch – längst nicht so gut waren, wie sie selber annahm. Als Selim nach einem Anruf von Ayshe darüber sprach, sagte ich spontan: „Ich weiß, welcher Job zu Ayshe passen würde. Rate mal!" Selim lachte. „Ja, du denkst wohl dasselbe wie ich. Sie sollte sich bei einer Firma als *Çayci-kiz* bewerben." „Genau, das dachte ich auch", antwortete ich. Übersetzt ins Deutsche: Das Mädchen, das in der Firma den Tee serviert. „Gib Five!", sagte Selim und hielt seine Hand hoch. Nur gut, dass Ayshe das nicht mitbekam. Sie wäre rasend vor Wut.

Ayshe rief alle paar Tage an. Sie behauptete Selim gegenüber, Alain zahle keinen Unterhalt und sage, sie sei nicht einmal fähig, am Straßenrand Sesamkringel zu verkaufen. Selim riet ihr zur Scheidung. Da sie während der ganzen Dauer der Ehe nie gearbeitet hatte, würde Alain nach der Scheidung Unterhalt für sie bezahlen müssen. Ayshe versprach, die Scheidung einzureichen. Sie brauche aber etwas Geld, um beim Rechtsanwalt eine Anzahlung zu machen. Selim schickte ihr für diesen Zweck einige Hundert Franken. Nach zwei Wochen rief Ayshe wieder an und jammerte, sie habe keine Arbeit und kein Geld. Selim fragte, wie es mit der Scheidung laufe. Jetzt war sich Ayshe nicht mehr sicher, ob sie sich scheiden lassen wolle. Sie hatte mit ihrer Tante Hülya gesprochen. Die hatte ihr geraten, sich nicht scheiden zu lassen. Sollte Alain versterben, bekäme sie eine Rente. Selim seufzte und fasste sich an den Kopf. „Wer weiß, wer von euch beiden zuerst stirbt? Er schuldet dir Unterhalt. Du warst also nicht bei einem Rechtsanwalt, um die Scheidung einzuleiten? Dafür habe ich dir doch Geld geschickt." „Das Geld brauchte ich, um die offene Kreditkartenrechnung zu begleichen", antwortete Ayshe.

Selim weigerte sich, weitere Geldbeträge nach Ankara zu schicken. „Sie ist verheiratet. Entweder bezahlt ihr Mann Unterhalt oder sie lässt sich scheiden. Bei der Scheidung wird berechnet, wie viel Unterhalt ihr zusteht. Was macht sie, wenn ich einmal nicht mehr da bin?" Danach rief Selims Schwager Attila an und wollte ihn dazu bewegen, Ayshe Geld zu schicken, damit sie die Scheidung einreichen könne. Selim klärte ihn auf: „Sie will sich gar nicht scheiden lassen. Ich habe ihr Geld geschickt. Sie hat es für anderes ausgegeben. Übrigens lebt sie allein in einer großen Duplex-Eigentumswohnung. Ich lebe hier mit Frau und Kind in einer einfachen Mietwohnung. Wir haben kein Geld für eine Eigentumswohnung. Wieso also sollen wir ihr Geld schicken?" Attila versuchte Ayshe zu überzeugen, sich scheiden zu lassen und die große Wohnung zu verkaufen. Mit dem Erlös könne sie sich eine kleinere Wohnung kaufen und den Rest auf die Seite legen, riet er ihr. Davon wollte Ayshe nichts wissen. Die Wohnung mit Dachterrasse und der Personenwagen waren ihre Statussymbole. Die gab sie nicht her. „Lieber kaut sie an den Reifen ihres Wagens, wenn sie hungrig ist", dachte ich.

Selim sehnte sich danach, wieder einmal nach Istanbul zu reisen. In den Jahren, in denen wir als Familie verreisen konnten, reisten wir in den Sommer- oder Herbstschulferien für zehn- bis vierzehn Tage an die Mittelmeer- oder an die Ägäis-Küste der Türkei. Zweimal blieben wir drei Wochen, verreisten im Jahr danach aber gar nicht. Das Budget reichte nicht für weitere Reisen. Da ich immer wieder merkte, wie sehr Selim an Heimweh nach Istanbul litt, fragte ich ihn, ob er nicht ohne uns nach Istanbul reisen wolle, sei es nur für einige Tage. Ja, das konnte er sich vorstellen. Er rief Burhan an, den Mann seiner Schwägerin Hülya. Bei ihnen hatte er – wie schon erwähnt – einige Wochen gewohnt, als er in Istanbul unsere Firma eröffnete. Damals wohnten sie noch im angesehenen Stadtteil Levent. Burhan freute sich auf ein Wiedersehen. Er bot Selim an, bei sich, Hülya und den Kindern zu wohnen. Inzwischen bewohnten sie das Gecekondu (ein einfaches Haus ohne Komfort), welches Hülya als Kind mit Eltern und Schwester bewohnt hatte. Burhan hatte durch seine Spielsucht alles verloren.

Die beiden Männer schmiedeten Pläne. Sie wollten zusammen am Bosporus fischen gehen wie in alten Tagen. Burhan wies Selim darauf hin, dass sie in ihrem Gecekondu sehr einfach wohnten. Sie hatten zwar Blick auf den Bosporus, aber ihre Behausung erreichten sie nur über viele Treppenstufen. Wie wollte Selim mit Koffer dorthin kommen? „Wohnt dein Sohn Zafer nicht bei euch?“, fragte Selim. „Er kann meinen Koffer zu euch hochtragen.“ „Ja, wir können das so planen“, antwortete Burhan und fragte anschließend: „Kannst du uns etwas aus der Schweiz mitbringen?“ „Sicher kann ich das. Was hättet ihr denn gerne?“, erkundigte sich Selim. Burhan: „Ich frage mal kurz Hülya.“ Hülya kam ans Telefon: „Merhaba Selim, du kommst uns besuchen? Kannst du mir eine Schweizer Armbanduhr mitbringen?“ „Ja-aa, welche Marke soll es denn sein?“, fragte Selim höflich.

Als Selim das Telefonat beendet hatte, war er ernüchtert. Er hatte damit gerechnet, dass Burhan und Hülya sich Schokolade und Käse wünschten. Ein Topf mit Rechaud für ein Käsefondue wäre auch in Ordnung gewesen. „Ich glaube, diesen Besuch bei Burhan und Hülya lasse ich lieber sein. Die denken, wir seien reich. Wenn ich viel Geld hätte, hätte ich längst für mich selber eine neue Armbanduhr gekauft", sinnierte Selim. Ich war empört. Hülya und Burhan hatten keine Ahnung, wie wir hier lebten – wie sollten sie auch? Die Uhr, die ich Selim zu unserer ersten gemeinsamen Weihnacht geschenkt hatte, war von keiner teuren Marke. Ich hatte sie kürzlich reparieren lassen wollen und dabei erfahren, dass es keine Ersatzteile mehr dafür gab. Die Firma bot uns eine Gutschrift für eine neue Uhr an. Die neuen Modelle waren jedoch so teuer, dass wir davon absahen, eine zu kaufen. Selim benutzte eine Armee-Armbanduhr, die ihm Oberst Meyer – oder einer seiner Vorgänger? – geschenkt hatte. Und statt nach Istanbul zu reisen, schaute er türkisches Fernsehen. Auch für den Blick über den Bosporus fand er einen Ersatz. Wir hatten in unserer Küche mehrere große Fenster, die den Blick auf Wiesen und Felder und dahinter Einfamilienhäuser freigaben. Ich durfte abends die Storen in der Küche nie ganz schließen. Selim wollte die Lichter von der anderen Seite des Feldes sehen. Er stellte sich dann jeweils vor, er sehe die Lichter von der anderen Seite des Bosporus.

32.

Aylin hat einen Freund

Aylin war inzwischen sechzehn Jahre alt geworden. Sie besuchte seit ein paar Jahren das Gymnasium. Langsam wurde sie zur Frau. Ich machte mir jedoch keine Sorgen, sie könnte bald einen Freund haben. Ich hielt sie für eher spät entwickelt. Selim machte sich offenbar Gedanken, Aylin sei lesbisch, da sie mit Ella, die sie seit dem Kindergarten kannte, eine enge Freundschaft verband. An einem Freitagabend kam Ella, um Aylin abzuholen. Sie wollten zusammen in die nahe gemeindeeigene Bar gehen und etwas trinken. Selim verbot Aylin hinauszugehen. Dass er ihr verbot, am Abend auszugehen, verstand ich. Er schimpfte aber lautstark über die Lesbe, während Ella sich im Schlafzimmer von Aylin aufhielt. Die beiden Mädchen bekamen Angst vor Selim, weshalb Ella das Zimmer durch die Balkontür zum Gartensitzplatz hin verließ. Etwas später verließ Aylin ihr Zimmer ebenfalls auf demselben Weg. Sie hatte einem Schulfreund – Mustafa war türkischer Abstammung – per SMS geschrieben, was geschehen war. Sie vereinbarten, sich am Bahnhof unseres Wohnortes zu treffen, damit Aylin sich mit ihm aussprechen konnte.

Später in der Nacht begleitete Mustafa Aylin nach Hause. Sie gelangten beide durch die Balkontüre in das Schlafzimmer von Aylin, während Selim Wand an Wand auf der Couch vor dem Fernseher schlief. Erst am frühen Morgen verließ Mustafa unsere Wohnung auf demselben Weg, wie er sie betreten hatte. Aylin gestand mir, dass er die Nacht über bei ihr gewesen war. Ich war entsetzt und konnte nur hoffen, dass Selim nichts mitbekommen hatte.

Offenbar machte Mustafa der Reiz des Verbotenen Spaß. Bald besuchte er Aylin wieder spätabends. Sie ließ ihn durch die Balkontüre in ihr Zimmer. Als Türke hätte er es besser wissen müssen. Selim bemerkte es diesmal und tobte. Mustafa musste fliehen. Das wird er wohl nie vergessen. Am nächsten Morgen rief Selim nach einer schlaflosen Nacht meine ältere Schwester an und sagte, es sei etwas Schlimmes passiert. Meine Schwester erschrak, weil sie annehmen musste, mir sei etwas passiert. Als er ihr sagte, was Sache war, versuchte sie ihn zu beruhigen. Sie war der Meinung, mit einer sechzehnjährigen Tochter müsse man mit so etwas eben rechnen. Viele Mädchen haben in diesem Alter einen Freund. Selim tobte und beschimpfte mich und Aylin.

Die Situation wurde unerträglich. Jetzt reichte es mir. Ich ließ mir einen Termin bei einer Scheidungsanwältin geben und bereitete danach die Papiere für die Scheidung vor. Die Anwältin wollte Selim – wie das scheinbar üblich ist – einen Brief schicken und ihn darin auffordern, aus der gemeinsamen Wohnung auszuziehen. Ich finde dieses Vorgehen nicht ungefährlich. Was macht ein Mann, der nicht weiß, wohin er ziehen soll? Ich wies sie an, keinen solchen Brief an Selim zu versenden. Ich sprach Selim darauf an, dass ich mich scheiden lassen wollte und es mir ernst war damit. Ich wollte nicht länger zwischen Ehemann und Tochter stehen und mich beschimpfen lassen.

Selim plante, nach der Scheidung in die Türkei zurückzukehren. Er wollte in der Nähe seiner Schwester leben. Diese bejahte seinen Entschluss und wollte ihm bei der Wohnungssuche und -einrichtung behilflich sein. Selims Schwager Attila dagegen war nicht erfreut. Wieder einmal hatte er Angst, er und Feride müssten Selim finanziell unterstützen. Selim fiel es schwer, einen Entschluss zu fassen. Er bat mich, es mir mit der Scheidung doch noch einmal zu überlegen. Er wolle beide Augen zudrücken. Aylin könne ihren Freund sehen, wann immer sie wolle. Einzige Bedingung war, dass Selim ihn nicht mehr zu Gesicht bekam.

Ich ließ meine Anwältin wissen, sie möge ihre Bemühungen vorerst einstellen. Es war für mich auch eine finanzielle Frage. Wie sollte ich mit meinem Sekretärinnengehalt zwei Haushalte finanzieren? Zudem hätte ich bei einer Scheidung einen Teil meiner angesparten Altersvorsorge an Selim abtreten müssen. In meiner Altersvorsorge hatte ich aber bereits eine Lücke. Und umgekehrt bekam ich keine Gelder von Selim, weil es keine gab. Da Selim sich damit abfand, dass Aylin einen Freund hatte, wurde die Situation wieder erträglich. Selim und ich verbrachten wieder mehr Zeit zusammen, gingen ab und zu ins Kino oder auch nur zum Einkaufsbummel mit anschließendem Kaffeetrinken. Solche Kleinigkeiten waren für uns ein Luxus, den wir uns jetzt leisteten. Eine Scheidung hätte viel mehr Geld gekostet.

Im folgenden Sommer reisten Selim und ich alleine nach Alanya in die Ferien. Aylin hatte durch eine Freundin einen Ferienjob erhalten. Bei schönem Wetter durfte sie in einem Schwimmbad Eis verkaufen. Von Mustafa sah sie während der zwei Wochen, während denen wir in Alanya waren, allerdings nicht viel. Er war zu jung für eine feste Beziehung. Das musste Aylin einsehen. Die Erfahrungen mit ihm trugen zu ihrer Reife bei. Für Selim und mich war es gut, dass wir alleine verreisten. Wir genossen es, die Tage nach unseren Wünschen zu gestalten und nicht auf einen Teenager Rücksicht nehmen zu müssen. Wir konnten damals nicht wissen, dass es unsere letzte gemeinsame Reise nach Alanya war. Es wurde auch unsere letzte gemeinsame Weihnacht. Selim kaufte zwei Gänse. Er plante, an zwei verschiedenen Tagen einige meiner Geschwister einzuladen. Es machte ihm Spaß, für eine größere Runde zu kochen. In den Vorjahren bereitete er meistens einen gefüllten Truthahn zu, in den letzten paar Jahren stand eine Gans als Festschmaus auf dem Tisch. Niemand konnte ahnen, dass dies die letzte Gelegenheit war, eine seiner Einladungen anzunehmen.

33.

Der letzte Sommer

In den folgenden Monaten klagte Selim über starke Magenschmerzen. Ich rief in der Hausarztpraxis an und bat seine Hausärztin, Selim zu einer Magenspiegelung anzumelden. Er musste mehr als einen Monat auf einen Termin warten. Eines Tages bat er mich, ich möge ihn auf die Notfallstation der Uniklinik begleiten. Dort behielten sie ihn einen Tag lang, ohne dass er einen Termin für eine Magenspiegelung bekam. Selims Hausärztin empfahl uns ein anderes Krankenhaus. Dort würde die Magenspiegelung sofort durchgeführt. So war es denn auch. Einige Tage später wurde er aufgeboten, um das Untersuchungsergebnis zu besprechen. Ich weiß nicht, was ihm gesagt wurde. Er bekam einen Termin für weitere Untersuchungen, danach einen zur Besprechung der Ergebnisse. Ich bot an, ihn zu begleiten.

Zuerst hatten wir ein Gespräch mit einem Onkologen. Ich verstand, dass Selim einen bösartigen Magentumor hatte, war aber überzeugt, dass dieser behandelt werden konnte. Der Onkologe sprach von Chemotherapie mit anschließender Operation. Danach schickte er uns zu einem Kollegen – ein Chirurg, der den Ablauf der Operation erklären sollte. Der Chirurg sagte, dass, falls er Selim operiere, er den ganzen Magen herausnehmen müsse. Man könne auch ohne Magen leben, sagte er und richtete sich dann an mich. „Die Ernährung danach ist eine Herausforderung." Er erklärte mir noch genauer, worauf ich nach der Magenentfernung bei der Zubereitung der Mahlzeiten und bei der Ernährung meines Mannes achten müsse. Dann richtete er sich wieder an Selim: „Ich weiß noch nicht, ob ich Sie operieren kann." Ich schaute den Arzt an; er schaute mich an. Da wusste ich, dass die Situation ernster war, als wir zuerst angenommen hatten. Meine Augen glänzten. Der Arzt schaute mich mitfühlend an.

Der Chirurg erklärte uns, dass Selim ein Port unter die Haut eingepflanzt werde. Die Infusionen für die Chemotherapie würden über diesen Port verabreicht. Selim sagte, er wolle keine Chemotherapie. Er erinnerte sich an den Besuch bei seinem Freund Erol. Dieser hatte sich bei ihm beklagt, wie er unter der Chemotherapie litt. Ich ermunterte Selim, es doch wenigstens mit der Chemotherapie zu versuchen. Er lenkte ein und vereinbarte einen Termin für das Einpflanzen des Ports. Eine Nacht würde er im Krankenhaus bleiben müssen, wurde uns gesagt.

In der Folgewoche hatte Selim den Termin im Krankenhaus. Ich ging am Morgen vor ihm aus dem Haus zur Arbeit. Zu Mittag sagte ich zu meiner Arbeitskollegin: „Ich hoffe, Selim bleibt im Krankenhaus. Er ist imstande und überlegt es sich anders und geht wieder nach Hause." Ich rief im Krankenhaus an, konnte Selim aber nicht erreichen. Offensichtlich war er bei einer Untersuchung. Als ich am Abend nach Hause kam, saß Selim vor dem Fernseher, wie wenn nichts geschehen wäre. Ich sagte: „Du bist schon wieder hier? Ich dachte, du müssest über Nacht bleiben." Er antwortete: „Ich will keine Chemotherapie. Sie gaben mir zwar ein Einzelzimmer. Nach einem Gespräch mit dem Arzt habe ich mich jedoch entschlossen, wieder nach Hause zu gehen. Ich will dieses Gerät nicht unter der Haut und ich will keine Chemotherapie."

Ich kontaktierte seinen Hausarzt. Inzwischen war er einem männlichen Arzt zugeteilt worden, einem netten älteren Herrn. Aylin war im Vorjahr einmal bei ihm in der Sprechstunde gewesen, als sie eine Grippe hatte. Sie erwähnte danach, wie nett und verständnisvoll er sei. „Man muss ihn einfach gernhaben", hatte sie angefügt. Von ihm wollte ich wissen, wie ernst die Lage war. Im Krankenhaus hatten wir bei zwei verschiedenen Ärzten ein Gespräch gehabt. Es kam mir vor, als hätten wir zwei verschieden schwere Diagnosen zu hören bekommen. Beim Gespräch mit dem jungen Onkologen hatte ich den Eindruck, eine Heilung sei so gut wie sicher. Beim Chirurgen bekam ich den Eindruck, der Tumor sei nicht operabel. Und ich hatte auch ein wenig den Eindruck bekommen, der Chirurg verstehe, warum Selim keine Chemotherapie wollte. Er versuchte nicht, ihn mit allen Mitteln von der Therapie zu überzeugen. Beide Ärzte hatten durchblicken lassen, dass sie in der Bauchdecke Ableger vermuteten.

Der Hausarzt antwortete mir, ich solle Selim zu einem Termin in der Praxis begleiten. Er wollte uns die Sachlage erklären. Er sagte uns, der Befund sei klar. Er respektiere Selims Wunsch, keine Chemotherapie mitzumachen. Ich hatte gehofft, der Arzt würde uns sagen, mit einer Chemotherapie seien die Heilungschancen gut. Ich beugte mich runter zu meiner Handtasche, die ich neben dem Stuhl abgestellt hatte, und suchte verzweifelt nach einem Papiertaschentuch. Die Tränen kullerten bereits die Wangen hinunter. Es war mir peinlich, obwohl ich allen Grund zu weinen hatte. Der Arzt schob eine Packung mit Kosmetiktüchern in meine Richtung, während er mich mitfühlend anschaute. Wir vereinbarten einen nächsten Termin. Der Arzt fragte mich, ob ich Selim künftig zu den Terminen begleiten könne. Es wäre gut für die Verständigung.

Selim schien nicht verstanden zu haben, wie ernst die Lage war. Als wir die Praxis verlassen hatten und in den auf einem Parkfeld am Straßenrand geparkten Wagen einstiegen, fragte er mich anklagend: „Was hast *du* denn zu weinen? Wenn hier einer ein Problem hat, dann bin ich es." Ich sagte: „Ich kann jetzt nicht gleich zur Arbeit gehen. Können wir irgendwo einen Kaffee trinken?" Selim freute sich. In unserem Ort gab es ein neueres kleines Einkaufszentrum gleich beim Bahnhof. Dort hatte sich unter anderem eine Bäckerei/Konditorei eingemietet. Man konnte auch draußen sitzen, was für Selim ein Vorteil war. So konnte er rauchen. Seit es dieses Zentrum gab, hätte er dort gerne einen Kaffee getrunken. Er sagte zwar immer: „Ich verstehe nicht, warum die Leute direkt bei der Straße sitzen. Was haben sie dort von ihrem Kaffee? Da trinke ich lieber zu Hause auf unserem Sitzplatz einen Kaffee, während ich eine Zigarette rauche." Jetzt saßen wir bei der Straße und tranken einen Kaffee –

genossen unseren kleinen Luxus, bevor ich die S-Bahn nahm und zur Arbeit fuhr.

Es war Frühling. Erst kurz zuvor hatte ich für Selim, Aylin und mich eine Ferienreise nach Alanya gebucht. Wir wollten im Juli für zwei Wochen hinfliegen. Aylin wollte diesmal mitkommen, deswegen hatte ich für die zweite Julihälfte – während der Sommerschulferien – gebucht. Im April erhielt Selim seine Diagnose. Im Mai sagte ich die Reise auf Wunsch von Selim ab. Er hatte in regelmäßigen Abständen Termine bei seinem Hausarzt. Ich begleitete ihn und anschließend tranken wir einen Kaffee. Es wurde unser Ritual. Vom Hausarzt bekam er Schmerzmittel verschrieben. Als die herkömmlichen Schmerzmittel nicht mehr reichten, bekam er Morphium. Wir führten auf Wunsch des Arztes ein kleines Tagebuch, in welchem wir notierten, wann und wie viele Tropfen er brauchte. Selim beklagte sich nach einem dieser Arztbesuche, der Arzt schenke mir zu viel Beachtung. Er fragte plötzlich: „Ist dieser Arzt eigentlich verheiratet?“ „Ich weiß nicht. Warum fragst du?“ „Er ist viel netter, seit du mitkommst.“ Ich beschwichtigte ihn, das liege daran, dass die Verständigung besser klappe, wenn ich dabei sei.

Zwischendurch erwähnte Selim immer wieder, dass er gerne nach Ankara reisen und sich dort untersuchen lassen wolle. Ich hätte das sehr begrüßt, weil ich dann sicher gewesen wäre, dass er verstehen würde, wie es um ihn stand. Zwei Dinge hielten ihn davon ab, nach Ankara zu reisen: Erstens hätte er eine Unterkunft gebraucht, vielleicht für einen längeren Zeitraum, falls er in Ankara in eine Chemotherapie eingewilligt hätte. Natürlich bot ihm Ayshe an, bei ihr zu wohnen. Selim konnte sich aber nicht darauf verlassen, dass sie ihn bei der ersten kleinen Meinungsverschiedenheit nicht vor die Tür setzen würde. Das zweite Problem sah er in der Versicherung. Unsere Krankenversicherung zahlt nicht für Behandlungen im Ausland. Dass er sich sehr wohl in der Türkei hätte behandeln lassen können, erfuhr er von seinem Bruder Ahmed erst, als er durch die Krankheit bis zum Skelett abgemagert war und nicht wusste, ob er noch reisen konnte. Er hätte in der Türkei Versicherungsleistungen in Anspruch nehmen können, da er dort pensioniert worden war und über eine entsprechende Karte verfügte. Als er überlegte, doch noch nach Ankara zu reisen, riet ich weder dazu noch dagegen. Ich dachte für mich: „Wenn er jetzt geht, kommt er wahrscheinlich nie mehr zurück."

Seit der Diagnose Magenkrebs waren ein paar Monate vergangen, als Selim eines Tages eine Wunde am Oberkörper hatte, aus der Brandwasser austrat. Beim nächsten Arzttermin zeigte Selim die Wunde dem Hausarzt. Dieser war alarmiert. Er meldete Selim auf der Notfallstation des Krankenhauses an, in welchem Selim die Diagnose erhalten hatte. Der Arzt meinte, wir sollten unverzüglich hinfahren. Wir gingen jedoch zuerst nach Hause, packten einen kleinen Koffer und begaben uns mit den öffentlichen Verkehrsmitteln – S-Bahn und Bus – zum Krankenhaus. Die Abklärungen auf der Notfallstation dauerten ein paar Stunden. Danach wurde Selim auf ein Krankenzimmer verlegt.

Von Montag bis Freitag blieb er im Krankenhaus. Ich besuchte ihn jeden Tag. Wir gingen dann jeweils zusammen in die Cafeteria, wo Selim mich aufforderte, ein Stück Kuchen zum Kaffee auszuwählen. Dann gingen wir nach draußen, wo Selim eine Zigarette rauchte, während ich das Kuchenstück vertilgte. Er erzählte mir, dass es seinen Mitbewohner störe, wenn er bis spät in die Nacht fernsah. Deswegen verbrachte er die Nächte im Aufenthaltsraum der Privatpatienten. Dort hielt sich selten jemand auf. Das hieß aber auch, dass er in einem Sessel schlief. Deswegen wollte er am Freitag auch unbedingt nach Hause, obwohl die Ärzte ihn noch über das Wochenende behalten wollten. Sie versuchten zudem, ihn erneut zu einer Chemotherapie zu überreden. Selim versprach, es sich noch einmal zu überlegen.

Am Montag – ich war bei der Arbeit – rief jemand aus dem Krankenhaus an und gab Selim einen Termin für die erste Chemotherapie. Jedenfalls konnte ich das später so nachkonstruieren. Er sagte mir nichts vom Anruf, notierte sich auch keinen Termin. Ich merkte erst davon, als später die Rechnung für den verpassten Termin kam. Beim nächsten Besuch fragte mich der Hausarzt, ob ich noch arbeitsfähig sei. „Nicht ganz so viel arbeiten zu müssen, wäre jetzt gut", antwortete ich. Um ein drohendes Burn-out abzuwenden, schrieb er mich zu 50% arbeitsunfähig. Ich brauchte dieses Zeugnis anschließend nur für drei Monate. Selim lebte ohne Chemotherapie weniger lang, als er wahrscheinlich mit Chemotherapie gelebt hätte. Allerdings konnte er bis ca. zwei Wochen vor dem Tod das Leben noch genießen. Eines Tages rief Ayshe an, als wir von einem Ausflug an einen nahen See zurückkamen. Sie fragte, ob wir von einem Arztbesuch zurückkämen. Selim sagte ihr, dass wir von einem Nachmittagsausflug zurück seien. Ihr Kommentar: „Du kannst noch mit dem Wagen herumfahren und Ausflüge machen? Dann ist es sicher nicht so schlimm mit deiner Krankheit!"

34.
Ein letztes Mal in Istanbul

Beim nächsten Arztbesuch – es war inzwischen September geworden – meinte der Hausarzt, vielleicht wolle Selim noch in die Türkei reisen. Ich war skeptisch, da ich die für den Sommer gebuchte Reise hatte annullieren lassen müssen. Der Arzt meinte, es müsse ja keine teure Reise sein. Selim könne auch dort zu einem Arzt, wenn etwas sei. Wir kamen überein, dass wir nach Istanbul reisen wollten. Es war schon immer Selims Lieblingsstadt gewesen. Ich buchte ein Hotelzimmer sowie Hin- und Rückflug. Am Tag vor der Abreise war ich nahe daran, alles abzusagen. Selim ging es gar nicht gut. Er hatte trotz Morphium starke Schmerzen und erbrach, was er aß. Als er jedoch hörte, dass ich mit einer Angestellten der Fluglinie telefonierte, rief er mir zu, ich dürfe die Reise auf keinen Fall absagen. Er wolle nach Istanbul reisen, auch wenn er vielleicht nicht mehr zurückkommen könne. Ich ging daraufhin in die Apotheke und ließ eine spagirische Lösung für ihn herstellen. Nach ein paar Sprühstößen sollte er sich besser fühlen. Das Mittel half. Ob es wirklich etwas bewirkte oder ob der Placebo-Effekt half, sei dahingestellt.

Am nächsten Tag ließen wir uns gegen Mittag mit einem Taxi zum Flughafen fahren. Es war mittlerweile Anfang Oktober und es hatte gerade ein Wetterumschwung stattgefunden, nicht nur bei uns in Mitteleuropa – auch in Istanbul. Die Temperaturen waren von einem Tag zum andern stark gesunken. Im Taxi fragte mich Selim: „Hast du einen Mantel dabei?“ „Ich wusste nicht, was ich einpacken sollte. Nein, ich habe nur die Jacke dabei, die ich trage. Die ist innen gefüttert“, antwortete ich. „Wir kaufen in Istanbul einen Mantel für dich", versprach Selim. Es hatte ihm immer viel Spaß gemacht, für mich Kleider auszusuchen. Warum hatte er sich nicht in der Modebranche ausbilden lassen?

Am Flughafen wurde es etwas schwierig, weil Selim sich nicht lange auf den Beinen halten konnte. Er musste jedoch beim Einchecken dabei sein. Als das erledigt war, organisierte ich für ihn einen Rollstuhl. Das war eine große Erleichterung. Im Duty-free-Shop schnappte sich Selim zwei 500 g-Tafeln Schokolade, eine Packung Zigaretten und eine Flasche Whisky. Zigaretten rauchte er noch immer. Sie gaben ihm Energie. Den Whisky kaufte er wohl aus purer Gewohnheit. Er trank seit Monaten keinen Alkohol mehr. Beim Gate angekommen, wurde Selim als einer der Ersten zum Flugzeug gebracht.

Als wir in Istanbul gelandet waren, wartete ein Flughafenangestellter mit einem Rollstuhl auf Selim. Er schleuste uns mit dem Rollstuhl auf einem verkürzten Weg durch die Passkontrolle, half uns mit dem Gepäck und brachte uns zur Taxi-Warteschlange. Zum Glück fanden wir relativ schnell ein Taxi. Auf dem Weg zum Hotel – ich hatte in einem Hotel bei der Marina Ataköy gebucht – unterhielt sich Selim mit dem Taxifahrer. Er nannte noch einmal den Namen des Hotels und fragte, ob er wirklich die richtige Abzweigung genommen habe. Der Taxifahrer meinte: „Kann es sein, dass ihr länger nicht mehr in Istanbul wart? Das ist eine neuere Straße, auf der wir gerade unterwegs sind." Seit wir von Istanbul weggezogen waren, hatte sich einiges geändert. Es gab jetzt neue Straßen und viele Hochhäuser.

Zum Hotel war es nur ein paar Kilometer. Wir waren bald dort. An der Rezeption fragte Selim: „Können Sie uns eine Suite geben?" „Sie haben via Internet ein Doppelzimmer gebucht", antwortete die Rezeptionistin. „Ich bin krank. Es wäre schön, wenn Sie uns eine Suite geben würden", bat Selim. „Ich glaube, das lässt sich machen", entgegnete die Angestellte. Ein Uniformierter nahm unsere Koffer und führte uns zu unserem Zimmer, das heißt zu unserer Suite. Wir kamen in einen recht großen Raum, der mit einem amerikanischen Doppelbett, einer Sitzgruppe beim Fenster, einem runden Tisch mit zwei Stühlen, einer Minibar und Fernseher ausgerüstet war. Selim studierte den Inhalt der Minibar. Sein Kommentar: „Gut, dass wir im Duty-free-Shop Whisky gekauft haben, so teuer wie alles in dieser Minibar ist.“ Ich wunderte mich über diese Aussage. Wollte Selim jetzt wieder Alkohol trinken, obwohl ihm seit Monaten der Alkohol gar nicht mehr schmeckte?

Neben der Tür zum Badezimmer gab es noch eine Tür. Diese führte in ein zweites Zimmer, das ebenfalls mit einem amerikanischen Doppelbett, einer kleinen Sitzecke und einem Fernseher ausgestattet war. In diesem Raum gab es einen Schrank und einen kleinen Schreibtisch, auf dem ein Wasserkocher stand. Beide Zimmer hatten einen eigenen kleinen Balkon mit Tischchen und zwei Stühlen und Blick auf das Marmarameer. Das alles bekamen wir zum Preis des gebuchten Doppelzimmers. In den folgenden Tagen saß Selim häufig auf seinem Balkon, rauchte eine Zigarette und schaute aufs Meer. Lastschiffe warteten auf die Einfahrt in den Bosporus. Weiter vorne sah man, wie Kreuzfahrtschiffe anlegten. Der einzige Nachteil war, dass unsere Hotelsuite recht weit von Eingang, Frühstücksraum und Rezeption entfernt war – und wir keinen Rollstuhl hatten für Selim. Das Hotelgebäude bestand aus vier kleineren Blöcken, die mit einem Durchgang im Erdgeschoss miteinander verbunden waren. Wir waren im letzten Block – von der Rezeption aus gesehen – untergebracht. Unsere Fußmärsche hin und zurück raubten Selim sehr viel Kraft. Trotzdem verlängerten wir unseren Aufenthalt von den geplanten fünf auf acht Tage.

Nachdem wir unsere Suite bezogen hatten, verließen wir das Hotel und ließen uns von einem Taxi ins Zentrum von Bakırköy (Stadtteil von Istanbul und gleichzeitig ein Landkreis) fahren, um dort Geld zu wechseln, bevor die Wechselstuben schlossen. Es war bereits früher Abend. Es war ungewöhnlich kalt für die Jahreszeit und es regnete. Nachdem Selim türkische Lira erstanden hatte, fragte er, was ich mir zum Nachtessen wünschte. Er schlug vor, nach Yeşilyurt zu fahren und dort Fisch zu essen. Wir ließen uns von einem Taxi zu *unserem* Fischrestaurant fahren – dem Restaurant mit Leuchtturm. Als wir in Yeşilköy wohnten, waren wir oft am Sonntagvormittag zum Brunchen dort gewesen. Ich genoss auch diesmal den Abend in diesem gediegenen Restaurant in vollen Zügen. Ich denke, Selim tat das auch. Zu Hause konnten wir es uns nicht leisten, in einem so gediegenen Restaurant zu essen – nicht einmal zu einem speziellen Anlass taten wir das. Selim bestellte für mich Weißwein. Selber trank er keinen Alkohol. Er bestellte Mezze – verschiedene Salate und Meeresfrüchte. Der Tisch war voll mit Schälchen. Der Kellner, der Selim noch von früher kannte, hatte uns einen Tisch nahe einem Heizkörper zugewiesen. Es war ihm nicht entgangen, wie mager Selim war. Er bemerkte: „Ja, wir altern alle." Ich weiß nicht mehr, ob wir nach all den Mezzes noch eine Hauptspeise bestellten. Ich weiß nur noch, dass es unter den Vorspeisen auch Lakerda gab – eine Art eingelegter Fisch. Wie oft hatte Selim in der Schweiz danach gesucht.

Wie üblich, hinterließ Selim ein großzügiges Trinkgeld. Das machte ihn zum beliebten Gast, wohin er auch ging. Er pflegte während des Abends ab und zu einem Kellner oder auch einem Hilfskellner einen kleinen Schein in die Hand zu drücken. Dies tat er jeweils sehr unauffällig. Wie in türkischen Restaurants die Rechnung bezahlt wird, gefällt mir. Nachdem der Gast die Rechnung verlangt hat, bringt ein Kellner eine Art Schatulle. Der Kellner entfernt sich. Der Gast schaut sich die Rechnung an und legt einen Schein oder auch die Kreditkarte in die Schatulle. Der Kellner nähert sich dem Tisch wieder und behändigt sich der Schatulle. Er bringt sie zur Kasse. Danach bekommt der Gast die Schatulle ein zweites Mal, diesmal mit dem Rückgeld. Er entscheidet, wie viel er als Trinkgeld in die Schatulle legt. Ein Gast sagt nicht: „Ich gebe so viel." Diesen Vorgang finde ich viel stilvoller als den nachfolgend beschriebenen, den ich in der Schweiz oft erlebe:

Der Kellner bringt die Rechnung und wartet neben dem Tisch. Bezahlt *ein* Gast die gesamte Rechnung, ist das okay. Wollen sich jedoch mehrere die Rechnung teilen, bräuchten sie etwas Zeit, das Geld im geschuldeten Betrag zusammenzulegen. Einmal war ich mit einer Bekannten in Zürich auswärts essen. Als die

Bedienung uns die Rechnung brachte, sagte meine Bekannte: „Ich bezahle so viel“ – sie nannte einen *ungeraden* Betrag. Die Bedienung verrechnete sich prompt um zehn Franken und verlangte zu viel von mir. Ich merkte, dass der von mir verlangte Betrag zu hoch war. Es ging aber alles sehr schnell. Als sie sich vom Tisch entfernt hatte, rechnete ich nach. Das Trinkgeld war sehr großzügig ausgefallen.

Beim Abschied vom Leuchtturm-Restaurant ließ Selim für den Sonntag zum Brunch reservieren. Die Zeit hätte stillstehen können. Wir kehrten glücklich zum Hotel und in unsere Suite zurück, wo jeder für sich ein großes bequemes Doppelbett hatte. Am nächsten Morgen gingen wir zum Frühstücksbuffet im Hotelrestaurant. Der Fußmarsch zum Restaurant, das Essen selber vom Buffet an den Tisch bringen und danach wieder ein Fußmarsch zurück zur Suite waren anstrengend für Selim. Trotzdem wollte er etwas unternehmen. Es zog ihn wieder nach Yeşilyurt, wo vor Jahren unsere Firma ihren Sitz hatte. Er wollte im privaten Krankenhaus, in welchem ich Aylin geboren hatte, eine Wunde am Oberbauch, die er seit einigen Wochen hatte, zeigen und neu verbinden lassen. Er hatte im Vorhinein keinen Termin abgemacht. Die Empfangsdame beschied uns, kurz Platz zu nehmen. Bald darauf erschien ein Arzt – ein Facharzt für Innere Medizin – mittleren Alters und bat uns mitzukommen. Er führte uns in einen Untersuchungsraum, wo er sich Selims Wunde anschaute, während er sich mit ihm unterhielt. Ich bekam mit, wie er sagte: „Ich verstehe, Sie wollen Ihre letzten Wochen lieber genießen anstatt sie mit Chemotherapie in Spitälern zu verbringen.“ Als der Verband saß, wandte sich der Arzt an mich. „Wissen Sie, wie es um Ihren Mann steht?“, fragte er mich. Ich nickte nur. Ich konnte nicht sprechen. Er schaute mich mitfühlend an und legte eine Hand auf meine Schulter. Diese Geste tat so gut; denn Selim wusste – anscheinend – noch immer nicht, wie ernst es um ihn stand. Diese Last trug ich bis zum Schluss.

Als wir das Krankenhaus verließen, hatte ich Tränen in den Augen. „Du könntest bei Meryem einen Tee trinken“, schlug Selim vor. Wir schauten auf das schräg gegenüberliegende Gebäude, wo früher im ersten Obergeschoss unsere Firma ihre Räumlichkeiten hatte. Direkt darunter hatte Meryem ein Blumengeschäft geführt. Das Blumengeschäft war nicht mehr da, aber ein Café, das im dazugehörigen kleinen Garten ein paar Tische aufgestellt hatte. Nebenan war noch immer die Apotheke, die Ömer gehörte und in der sein jüngerer Sohn Alper arbeitete. Selim hatte ein Rezept bekommen, das er nun in der Apotheke einlösen wollte. Eine junge Angestellte stand hinter der Theke. Selim fragte, ob Ömer oder sein Sohn zu sprechen sei. Die Angestellte ging nach hinten. Bald darauf kam Ömers Sohn Alper nach vorne. Er leitete die Apotheke für seinen Vater, obwohl er Touristik studiert hatte. Selim fragte, wie es Ömer gehe. Wir bekamen eine knappe Antwort in einem kalten Ton, was ich verstand. Selim konnte nicht tun, als wäre nie etwas gewesen. Er hatte Ömer beschuldigt, ihn beim Verkauf seines Mercedes übers Ohr gehauen zu haben.

Neben dem Krankenhaus, das inzwischen zu einer Kette privater Krankenhäuser gehörte, befand sich ein Fünfsternehotel mit Blick aufs Meer. Wir begaben uns zur Bar und nahmen auf der Terrasse Platz, um einen türkischen Kaffee zu genießen. Wir waren die einzigen Gäste zu dieser Zeit. Der Kaffee schmeckte vorzüglich und der Blick aufs Meer tat gut. Zu Mittag aßen wir in der Nähe in einem kleinen Restaurant, das Hausmannskost anbot. Auch dort wurde Selim wiedererkannt. Er hatte früher häufig dort zu Mittag gegessen oder Essen bestellt.

Den Nachmittag verbrachten wir in einem Einkaufszentrum in der Nähe unseres Hotels. Dort machten wir den Fehler, dass wir keinen Rollstuhl verlangten. Beim Haupteingang wurden Rollstühle verliehen, wie ich später feststellte. Wir nahmen den von früher gewohnten Nebeneingang, als wir unseren Wagen jeweils im Parkhaus abstellten, um im Supermarkt einzukaufen. Durch diesen Supermarkt gelangte man in das Einkaufszentrum. Dieser halbe Tag raubte Selim viel Energie. Wir fanden für mich in einem Geschäft für Damenmode diverse Kleider, unter anderem einen schwarzen Mantel. Danach saß Selim in einem Café, während ich Geschäfte abklapperte auf der Suche nach Hosenträgern. Selims Hose rutschte ständig; er hatte gar nichts mehr auf den Knochen.

Hosenträger fand ich im ganzen Einkaufszentrum keine. Bevor wir zum Hotel zurückkehrten, aßen wir in einem Fastfood-Restaurant des Einkaufszentrums Döner. Das Restaurant gehörte zu einer bekannten Kette, wie ich von Selim erfuhr. Danach waren wir uns einig, dass wir kein Nachtessen mehr brauchten. Den Abend verbrachten wir in unserer Suite. Selim wollte sich schonen. Es war Donnerstag. Am Freitagabend wollte er unbedingt ausgehen, irgendwohin, wo wir Musik hören konnten, am liebsten Livemusik.

Am Freitagmorgen gingen wir wieder zum Frühstück im Hotel. Danach wollten wir an der Rezeption unseren Aufenthalt verlängern. Die diensthabende Angestellte riet uns, über das Internetportal zu verlängern, über welches ich die Buchung gemacht hatte. Wir bekämen so einen günstigeren Preis. Die Suite sollten wir behalten können. Da ich weder Laptop noch Smartphone besaß, ging ich zum hoteleigenen Computer. Ich verbrachte einige Zeit dort. Es klappte mit der Verlängerung. Wir bezahlten für ein Doppelzimmer, konnten jedoch weiter in der Suite bleiben. Gegen Mittag begab ich mich allein nach Bakırköy. Dort wechselte ich Geld und besorgte zwei Portionen Döner zum Mittagessen. Danach ging ich zu Fuß zurück zum Hotel. Nach dem Essen schaute Selim fern, während ich in den mitgebrachten Zeitschriften blätterte.

Selim hatte an der Rezeption für den Abend in einem Lokal mit Livemusik reservieren lassen. Das Lokal befand sich in Beşiktaş und war recht weit von unserem Hotel entfernt. Deshalb fragte Selim den Taxifahrer, ob er ein anderes Lokal mit musikalischer Unterhaltung kenne, das näher liege. Dieser meinte, entlang der Kennedy Caddesi gäbe es eine Reihe Lokale, die beschildert seien. Ein bekannter Sänger trete regelmäßig in einem dieser Lokale auf. Wir fuhren das goldene Horn entlang, während Selim sich mit dem Fahrer unterhielt. Leider brannte in keinem der erwähnten Lokale Licht. Der Fahrer fragte, ob er uns doch nach Beşiktaş fahren solle. Er könne uns aber auch ein Lokal ganz in der Nähe unseres Hotels empfehlen. Die Küche sei ausgezeichnet, oft mit musikalischer Unterhaltung.

Wir ließen uns zum letztgenannten Lokal chauffieren. Es war ein rundes Gebäude, von Meer umgeben und durch einen Pier zugänglich. Es gab zwei Lokale. Aus einem Lokal hörten wir Musik. Die stammte von einer Hochzeitsgesellschaft, die das eine Lokal gemietet hatte. Wir ließen uns im anderen Lokal einen Tisch zuweisen und bestellten etwas Mezze und danach Fisch. Das Essen war ausgezeichnet, der Service top. Wir ließen uns Zeit. Gegen Mitternacht wurden rundum die Fenster geöffnet und Rauchen war erlaubt. Bald darauf bezahlten wir und gingen. Ich erinnere mich, wie kalt es war, als wir auf ein Taxi warteten. Umso mehr genoss ich es, in unsere warme Suite zurückzukehren. Selim beschloss, am nächsten Abend nach Kumkapı – ein Ort am Marmarameer, zum Viertel Fatih gehörend – zu fahren, um doch noch Livemusik zu erleben.

Am nächsten Morgen – es war Samstag – gingen wir nicht ins Hotelrestaurant zum Frühstück. Selim bestellte eine Kanne Schwarztee und Plätzchen aufs Zimmer. Nach dem Frühstück begab ich mich alleine und diesmal zu Fuß ins Zentrum von Bakırköy. Selim gelüstete nach Subörek – eine Art Auflauf mit Teigblättern mit einer Käse-/Eiermischung –, und zwar vom besten Börekhersteller Istanbuls. Er erklärte mir, wo sich dessen Geschäft befände. Als wir noch in Istanbul wohnten, hatte er dort oft Börek gekauft. Ich klapperte die Straße ab, fand einige Bäckereien und auch ein Geschäft, das ausschließlich Börek verkaufte. Aber das gesuchte Geschäft fand ich nicht. Ich kaufte bei einer Bäckerei ein halbes Kilo Subörek und einen kleinen Karton voll Baklava. Selim war enttäuscht. Das Subörek schmeckte nicht so, wie er es von seinem Lieblingshersteller in Erinnerung hatte.

Zu Mittag hatte Selim Lust auf Fleisch. Ganz in der Nähe unseres Hotels befand sich ein Restaurant, das auf Kebab spezialisiert war. Es war früher Nachmittag, als wir Kebab und Ayran (Joghurt mit Wasser und Salz verrührt) bestellten. Das Restaurant war von Familien und Pärchen gut besucht. Man merkte, dass es Samstagnachmittag war und viele frei hatten. Die Leute ließen sich Zeit beim Essen. Als wir das Restaurant verlassen hatten, winkte Selim ein Taxi herbei, das uns nach Yeşilköy brachte – wo wir früher gewohnt hatten. Alte Erinnerungen kamen hoch. Es war inzwischen etwas wärmer geworden und die Sonne schien. Yeşilköy zeigte sich von seiner besten Seite. Selim steuerte auf einen kleinen Supermarkt zu. Ich erinnere mich, dass er dort Zitronen kaufte. Dann gingen wir weiter Richtung Strand. Vor einem Restaurant wurden den Passanten gefüllte Muscheln angeboten. Selim erstand einige davon; ich lehnte ab.

Danach ließen wir uns im offenen Bereich eines Cafés mit Blick auf das Marmarameer nieder. Die Strandpromenade war noch fast leer. Vor uns sonnte sich ein Hund. Ich erinnerte mich gut, wie sehr diese Promenade jeweils am Sonntag bevölkert war. Genau hier hatte Selim vor ein paar Jahren während eines kurzen Aufenthalts in Istanbul Osman – einen seiner ehemaligen Angestellten – mit Frau zufällig getroffen. „Vielleicht kommt Osman ja wieder ganz zufällig vorbei", meinte er hoffnungsvoll. Er hatte ihn zuerst kontaktieren wollen, aber dann doch davon abgesehen. Osman und seine Frau hätten uns bestimmt zu sich nach Hause einladen wollen. Es war für Selim nicht vorstellbar, eine Einladung zum Essen anzunehmen. Was er zu sich nahm, musste er früher oder später erbrechen. So tranken wir Çay im Café in nächster Nähe von Osmans Wohnung, ohne dass dieser dies ahnen konnte. Ich genoss dazu ein Stück Karottentorte. Wieder einmal wünschte ich mir, die Zeit möge stillstehen.

Auf der Rückfahrt zum Hotel kamen wir am Haus vorbei, in welchem wir vor Jahren gewohnt hatten. „Schau mal, gleich drei Wohnungen sind zu vermieten." Selim zeigte mit dem Kinn in Richtung unserer ehemaligen Wohnung. Viele Erinnerungen kamen beim Anblick dieses vierstöckigen Wohnhauses. Auf dem breiten Gehsteig vor dem Hauseingang hatte Selim oft seinen Wagen parkiert. Bis eines Nachts ein – wahrscheinlich betrunkener – Fahrer auf den Gehsteig fuhr und unseren Wagen rammte. Danach mietete Selim in einer nahe gelegenen Einstellhalle einen Abstellplatz. Ich kann mich noch genau erinnern, wie es mitten in der Nacht vor dem Haus gekracht hatte. Jetzt fragte ich mich, wer von den ehemaligen Mitbewohnern noch da und wer alles weggezogen war.

Gegen acht Uhr abends ließen wir uns von einem Taxi zum Kumkapı-Stadtteil fahren. Auf der rechten Straßenseite war der Fischmarkt. Links lag das Viertel mit Restaurants, welche die Besucher mit türkischer Livemusik unterhalten. Das Taxi hielt auf einem großen Parkplatz, von welchem wir zur Fußgängerzone und den Restaurants gelangten. Selim steuerte zielbewusst auf ein Lokal zu, das gut besetzt war. „Das muss ein gutes Lokal sein", sagte er. Wir hatten Glück. Es gab noch einen freien Tisch im Außenbereich. Selim bestellte Beyaz Peynir (Salzlakenkäse), Honigmelone, geschnittene Tomaten, Tintenfischringe, noch ein paar andere Mezze und Raki. Ich war erstaunt, als der Kellner eine Flasche Raki brachte – wenn auch eine kleine. Ich wusste, die würden wir nie und nimmer konsumieren. Wollte Selim nicht knausrig wirken oder hatte er Bedenken, Raki offen zu bestellen. Ich mischte Raki seit jeher mit viel Wasser, sodass von Alkohol praktisch nichts mehr zu spüren war. Ich liebe den Anisgeschmack. Selim nippte nur an seinem Glas.

Wir genossen das Essen, die Musik und die Unterhaltung rund um uns. Musikergruppen zogen um die Tische und verweilten dort, wo sie Trinkgeld erhielten. Wir hatten eine Decke bekommen, die Selim mir überlassen wollte. Ich merkte, dass er fror. Er hatte eine relativ dünne Hose an und nichts mehr auf den Knochen. Ich schlug die Decke um unsere Beine. Selim kaufte einer Blumenverkäuferin ein paar rote Rosen ab, die ich prompt auf dem Tisch liegen ließ, als wir gingen. Selim hatte mich angewiesen, die Raki-Flasche einzupacken. Warum die Flasche Raki mit ins Hotel musste, weiß ich nicht. Der Abend hatte Selim so gut gefallen, dass er gleich beschloss: „Wir kommen noch einmal, bevor wir in die Schweiz zurückreisen."

Am nächsten Morgen – es war Sonntag – gingen wir zum Brunchen ins Fischrestaurant beim Leuchtturm in Yeşilyurt. Früher waren wir im Frühjahr, Sommer oder Herbst ab und zu hier zum Brunchen. Da saßen wir jeweils im Garten. Jetzt war es noch zu kalt dafür. Der Kellner führte uns vom Hauptrestaurant in einen Nebenraum – der wie eine Laube wirkte – an einen gedeckten Tisch. Ich genoss die Köstlichkeiten, die ohne Ende gebracht wurden: Von Eierspeisen über Börek, Käse, Oliven etc. Selim verschwand und ich blieb alleine am Tisch. Er unterhielt sich vermutlich mit dem Personal – zum letzten Mal!

Als wir das Restaurant verlassen hatten und an der Straße vorne auf ein Taxi warteten, fragte ich Selim: „Möchtest du wieder hier leben?" „Ja, ich würde gerne wieder hierherziehen", antwortete Selim. Dann kam auch schon das Taxi und fuhr uns zurück zum Hotel. Selim musste sich ausruhen. Das Programm der letzten Tage hatte an seinen Kräften gezehrt. „Ich denke, heute Abend bleiben wir im Hotel", schlug er vor. Das war mir recht. Er schaute fern. Ich las in einem Buch. Ab und zu begab er sich auf den Balkon, zündete eine Zigarette an und genoss den Blick auf das Marmarameer.

Später schlug Selim vor, ich könnte im nahen Einkaufszentrum in einem der Fastfood-Restaurants etwas zum Essen holen. Ihm war nach Pizza. Ich ging zum Einkaufszentrum und bestellte in einer Pizzeria eine Pizza nach amerikanischer Art für zwei Personen. Während die Pizza gemacht wurde, ging ich in den nahen Supermarkt und kaufte ein paar Sachen ein. Ich hatte nicht mit einer derart großen Pizza gerechnet. Ich hätte mir die Bemerkung *für zwei Personen* besser erspart. Mit einer riesigen Plastiktüte, aus der es nach Pizza roch, musste ich an der Rezeption vorbeigehen. Niemand sagte etwas. Selim freute sich über die dick belegte Pizza, auch wenn er nicht viel davon essen konnte.

Am Montagmorgen bestellte Selim wieder eine Kanne Schwarztee beim Zimmerservice. Wir frühstückten in unserer Suite. Zum Tee gab es Plätzchen und Pizza vom Vorabend. „Heute gehen wir zum Fischmarkt und essen dort zu Mittag", sagte Selim. Er wusste, dass ich mir das wünschte. Ich erinnerte mich an die Reise nach Istanbul, als Aylin gerade eingeschult worden war. Da aßen wir auch einmal in einem der Restaurants beim Fischmarkt. Wir leckten uns damals alle drei die Finger nach den Riesengarnelen, die Selim ausgesucht hatte und im dazugehörigen Restaurant hatte zubereiten lassen.

Bevor wir uns auf den Weg zum Fischmarkt machten, musste ich bei der Hotelrezeption vorbeigehen und für die Verlängerung bezahlen. Wir konnten in unserer Suite bleiben. Die Raumpflegerin staunte nicht schlecht, als sie kam, um für einen Neueintritt zu putzen. Alle unsere Sachen waren noch da. Sie verstand sich gut mit Selim. Am zweiten Tag hatte er sie gebeten, sie möge uns von den neuen Badetüchern bringen. Nachdem er ihr ein großzügiges Trinkgeld gegeben hatte, brachte sie einen ganzen Stoß mit Badetüchern in unsere Suite.

Es war Mittagszeit, als wir durch den Fischmarkt schlenderten. Selim schaute sich das Angebot an. Er hatte einen besonderen Wunsch. Er wollte einen Steinbutt für uns zubereiten lassen. Der Fisch, den er aussuchte, war gut ein Kilo schwer. Er wurde für uns auf dem Grill zubereitet. Schade nur, dass Selim das Essen nicht wirklich genießen konnte. Er spürte eine Gräte im Mund. Als er diese herausziehen wollte, merkte er, dass er sich übergeben musste. Er entfernte sich vom Tisch. Ich blieb alleine mit einer großen Platte, die gefüllt war mit dem in Streifen geschnittenen Steinbutt. Als Selim zurückkam, konnte er nicht weiteressen. Er bezahlte und gab wie üblich ein großzügiges Trinkgeld.

Wir stiegen in ein Taxi und ließen uns ins Zentrum von Bakırköy fahren. In einem Geschäft, das einer türkischen Marke angehörte und Kleidungsstücke von guter Qualität anbot, kaufte sich Selim zwei Pullover und Unterwäsche. Ich erinnere mich, wie die Verkäuferin ihn aufmunterte, gleich einen ganzen Stoß Unterwäsche zu kaufen, solange die von ihm benötigte kleine Größe vorhanden war. Es gab auch Frauenkleider. Eine dunkelgrüne Bluse tat es ihm an. Leider gab es davon meine Größe nicht. In Dunkelblau gab es sie. Nach kurzem Zögern entschied ich mich für die Bluse. Ich habe es bis heute nicht bereut, ist die Bluse doch sehr elegant und besteht aus zwei Teilen, einem ärmellosen Hänger und einer durchsichtigen Bluse darüber.

Danach gingen wir in eine Bäckerei auf der anderen Straßenseite. Zweimal war ich alleine an dieser Bäckerei vorbeigegangen, hatte gezögert, ob ich sie betreten solle. Ich hätte Schwierigkeiten gehabt, mich für etwas zu entscheiden. Ohne zu zögern, betrat Selim mit mir die Bäckerei. Er ließ sich von verschiedenen Kuchenstücken, Krapfen, Hefestückchen mit Sesamfüllung usw.

je zwei Stück geben. Mit einer großen Tüte voller Gebäck verließen wir das Geschäft. Das war typisch für Selim. Jetzt war es Zeit für einen Çay. Wir ließen uns im Außenbereich eines Lokals nieder, das einer türkischen Fastfoodkette angehört. Der Çay wurde uns an den Tisch gebracht. Er schmeckte sehr gut. Wir tranken mehrere Gläschen davon. Selim schien glücklich zu sein. Ich finde, Schwarztee schmeckt in der Türkei am besten. Er sollte aber unbedingt aus einem dafür bestimmten Glas getrunken werden.

Am Abend fragte mich Selim, ob ich im nahen Restaurant, in welchem wir am Samstagmittag gegessen hatten, Kebab und Ayran holen wolle. In einem Supermarkt kaufte ich Wasser und ging danach in den Take-away-Bereich des Restaurants und bestellte zwei Döner mit Ayran. Wieder einmal passierte ich die Rezeption mit einer Tüte voller Essen und Getränke. Sicher wurde der Geruch des Döners wahrgenommen, aber niemand sagte etwas. Wir bestellten regelmäßig Tee und Kaffee beim Zimmerservice und gaben reichlich Trinkgeld.

Am nächsten Morgen hatten wir eine reiche Auswahl an Gebäcken zum Frühstück. Wieder bestellte Selim eine Kanne Schwarztee. Nach dem Essen meinte Selim, es wäre Zeit für mich, ein paar weitere Kleidungsstücke einzukaufen, welche ich zu Hause zur Arbeit tragen konnte. Ihm schwebte ein grauer Anzug aus dickerem Stoff vor, geeignet für den Winter. Obwohl ich nicht gerne allein ging, machte ich mich dann doch auf den Weg ins nahe Einkaufszentrum. Im Zentrum gab es ein mehrstöckiges Warenhaus. Dort hatte mir Selim vor Jahren einen ganz speziellen Jeans-Anzug gekauft. In jenem Warenhaus schaute ich mich nun um, weil Selim mir dazu geraten hatte.

Ich wollte bereits unverrichteter Dinge wieder gehen, als eine Verkäuferin auf mich zukam und fragte, ob sie helfen könne. Ich zeigte auf einen Anzug, der zwar nicht grau war, sondern braun kariert. Sie nahm ihn von der Stange und zeigte auf die Umkleidekabinen. Während ich mich umzog, kam sie mit Blusen an, die sie mir zum Anprobieren reichte. Dann ging sie wieder, um kurz darauf mit einem Hosenanzug, Jupe mit passendem Oberteil und weiteren Blusen zu erscheinen. Alles, was sie brachte, passte und stand mir sehr gut. Am Schluss konnte ich mich nicht entscheiden. Aber damit nicht genug, irgendwie hatte sie im Gespräch mit mir erfahren, dass ich eine Tochter habe und dieser etwas aus der Türkei mitbringen möchte. Sie brachte eine Trainerhose, eine Bluse, eine Strickjacke und zwei Pullover, die sie passend fand für meine Tochter. Ich fragte, ob sie die Kleidungsstücke bis zum Abend reserviert halten könne. Eventuell würde ich später mit meinem Mann vorbeikommen; denn als sie die Preise zusammengezählt und mir die Summe genannt hatte, wollte ich meinen Ohren nicht trauen. Kein Wunder, hatte sie doch die Summe in alter Währung genannt. Inzwischen waren diverse Nullen gestrichen worden.

Ich kam ohne Einkäufe ins Hotel zurück. Ich erklärte Selim, dass ich mir noch überlegen möchte, was ich alles kaufen wolle. Aber erst wollten wir nach Florya (Stadtteil beim Atatürk Flughafen) fahren und dort in einem Restaurant essen, in welchem wir früher ab und zu waren. Ich hatte Selim gesagt, dass ich gerne wieder einmal dort essen würde. Obwohl es ihm überhaupt nicht nach Essen zumute war und schon gar nicht nach Fleisch, begleitete er mich in dieses Restaurant und bestellte zwei Portionen Döner. Es handelte sich dabei nicht um den Döner, den wir in Europa als Fastfood kennen, sondern eine edle Variante auf dem Teller angerichtet. Selim konnte seinen Döner beim besten Willen nicht essen. Er konnte den Geruch des Fleisches kaum ertragen. Bevor wir das Restaurant verließen, begab er sich zu den Toiletten, um sich zu übergeben.

Dieser letzte Besuch in diesem noblen Restaurant war so anders, als ich es von früher gewohnt war. Damals schwänzelte jeweils eine ganze Schar von Kellnern um unseren Tisch. Zuerst bestellten wir jeweils verschiedene Mezze, danach eine Hauptspeise und später noch einen Nachtisch. Dieses Mal waren wir keine guten Kunden, sondern ein kranker Mann in Begleitung einer jüngeren Frau. Das Wetter passte zur Stimmung. Es war bewölkt und zu kalt, um draußen auf der Terrasse am Marmarameer essen zu können.

Selim fühlte sich nicht gut genug, um danach noch mit mir ins Einkaufszentrum zu gehen. Er ließ mich beim Eingang aus dem Taxi aussteigen und fuhr weiter zum Hotel, wo er sich mit Mühe bis zur Suite schleppte. Wir hätten eindeutig einen Rollstuhl für ihn gebraucht. Ich begab mich also wieder allein zur Damenabteilung des Warenhauses. Meine Verkäuferin wurde gerufen. Sie freute sich offensichtlich, als sie mich sah. Ein so gutes Geschäft machte sie wahrscheinlich sehr selten. Selim hätte kräftig gefeilscht, obwohl es ein Warenhaus war und die Kleidungsstücke mit Preisschildern versehen waren. Er hätte darauf bestanden, dass die Mehrwertsteuer von den Preisen abgezogen würde und im Gegenzug keine Rechnung verlangt. Ich bezahlte, was auf der Rechnung stand, und zwar mit Bargeld. Später im Hotel sagte Selim zu mir: „Du hast doch so oft mitbekommen, wie ich das mache."

Am Abend gingen wir noch einmal nach Kumkapı ins selbe Restaurant, wo wir vor ein paar Tagen waren. Selim bestellte Fisch und dazu wieder eine kleine Flasche Raki. Diesmal gingen wir ein bisschen früher nach Hause; denn Selim ging es zusehends schlechter. Den Raki wollte er aber wieder mitnehmen ins Hotel. Wir waren beide betrübt, dass unser Aufenthalt in Istanbul bald beendet sein würde. Für mich kam noch dazu, dass ich einsah, wahrscheinlich das letzte Mal mit Selim zusammen in Istanbul zu sein. Würde es für mich ein Istanbul ohne ihn geben? Jede meiner bisherigen Erinnerungen an Istanbul ist mit ihm verbunden. Mit ihm zusammen wurde ich nicht wie eine Fremde behandelt. Obwohl ich die türkische Staatsbürgerschaft besaß, war ich in der Türkei ohne ihn eine Ausländerin, eine Fremde.

Am nächsten Morgen hatten wir unseren letzten vollen Tag in Istanbul vor uns. Selim hatte eine Fahrt an den Bosporus organisiert. Der Taxifahrer, der uns zwei Tage zuvor zum Fischmarkt gefahren hatte, sollte uns hinfahren. Selim hatte ihn nach dem Preis für eine Fahrt nach Emirgan – an den Bosporus – und zurück zum Hotel gefragt. Sie hatten sich auf einen Preis geeinigt. Um elf Uhr holte er uns im Hotel ab. Wir fuhren auf einer Umfahrungsstraße nach Emirgan und machten dort eine Kaffeepause.

Wir hatten Glück mit dem Wetter. Es war sonnig; wir konnten draußen sitzen. Danach brachte uns der Taxifahrer zum Fischrestaurant in Kireçburnu. Auch mit diesem Lokal waren viele Erinnerungen verbunden: Selim und ich hatten früher ab und zu am Sonntag hier gegessen, vor allem als wir noch im Stadtteil Yeni Levent wohnten. Zwei Stunden hatten wir Zeit, bevor uns der Taxifahrer für die Rückfahrt abholte. Selim bestellte einen Fisch für uns beide, den er sich zuvor ausgesucht hatte. Diesmal versuchte er erst gar nicht, Raki zu trinken. Immer wieder versperrte uns ein Touristenbus die Aussicht auf den Bosporus. Selim war nicht der Einzige, der sich darüber beklagte. Zwei Männer an einem Nachbartisch riefen jedes Mal laut aus, wenn uns wieder ein Touristenbus die Sicht versperrte. Die Touristen wurden mit Bussen zu einem Nachbarrestaurant gefahren, wo sie ein Einheitsmenü vorgesetzt bekamen und ein paar Bilder vom Bosporus machen konnten.

Nach zwei Stunden holte der Taxifahrer uns, wie vereinbart, ab. Auf der Rückfahrt fragte ihn Selim nach dem neuen Standort des bekannten Börek- und Baklava-Herstellers. Der Taxifahrer konnte uns sagen, dass sich das gesuchte Geschäft direkt an der Schnellstraße Richtung Bakırköy befand, auf welcher er mit uns unterwegs war. Die Männer einigten sich, dass wir dort die Fahrt beenden und uns nach dem Einkauf ein anderes Taxi nehmen würden. Selim sagte dem Taxifahrer, wie sehr er in der Schweiz gutes Börek vermisse. Der Taxifahrer gab ihm seine Karte. Selim könne ihn jederzeit anrufen, um eine Bestellung aufzugeben. Selim steckte die Visitenkarte dankend ein. Bald waren wir da und verabschiedeten uns.

Das Geschäft war zweistöckig, im Erdgeschoss befand sich das Ladenlokal und im ersten Stock ein Café mit Bedienung. Selim ging schnurstracks zur Theke mit dem Subörek und ließ sich ein Kilo davon einpacken. Von der Baklava mit Pistazien nahm er ebenfalls ein Kilo, schließlich noch eine Packung Pistazien-Marzipan. Mit Tüten beladen verließen wir das Geschäft und winkten ein Taxi heran. Wir ließen uns noch einmal ins Zentrum von Bakırköy fahren und nahmen im selben Fastfood-Lokal Platz wie das letzte Mal. Wieder bestellten wir Çay. Selim überlegte sich, was er Aylin aus Istanbul mitbringen könnte. Nachdem wir ein paar Gläschen Çay getrunken hatten, gingen wir in den nahen Basar. Dort wählte Selim ein paar Ohrringe mit blauen Steinchen für Aylin. Er war sehr stolz, diese Ohrringe für sie ausgesucht zu haben und ihr damit etwas aus Istanbul mitbringen zu können.

An diesem Abend – es war der letzte für uns beide in Istanbul – ließen wir uns von einem Taxi nach Yeşilyurt bringen. Selim wollte noch einmal das Lokal besuchen, das türkische Hausmannskost anbietet und wo er früher oft zu Mittag gegessen hatte. Wir blieben nicht lange. Wir waren beide ein wenig traurig, weil wir Istanbul am nächsten Tag verlassen mussten.

Nachdem wir am nächsten Morgen ausgecheckt hatten, ließen wir ein Taxi rufen, das uns zum Flughafen fuhr. Unsere beiden Koffer waren prall gefüllt mit Kleidern, das Handgepäck mit Esswaren. Einmal im Flughafengebäude kümmerten wir uns zuerst um einen Rollstuhl für Selim. Er hätte es zu Fuß nie bis zum Flugzeug geschafft. Es lohnte sich, ein wenig zu warten. Danach ging alles schneller. Mit Rollstuhl wurde er zuerst an den Schalter gelassen. Beim Zoll gab es eine Abkürzung und wir mussten nicht anstehen.

Da wir am Tag zuvor in Bakırköy noch Geld gewechselt hatten, verblieben uns zu viele türkische Liras. Selim bat mich, diese umzutauschen. Der Begleiter, der den Rollstuhl schob, sagte, dass er Selim in eine Lounge bringe. Ich könne dann das Geld umtauschen gehen. Die Wechselstuben befanden sich in der entgegengesetzten Richtung. Ich verstand ihn falsch. Deswegen trennte ich mich von den beiden und ging zu den Wechselstuben. Danach suchte ich Selim ziemlich lange. Ich hatte einige Rundgänge im Restaurantbereich hinter mir, als ich Selim im oberen Stock nahe der Rolltreppe sichtete. Er war verärgert. Ich besorgte ihm einen Çay in einem Pappbecher und eine Zeitung, was ihn etwas versöhnlicher stimmte.

Da kam auch schon der Betreuer wieder und war froh, mich zu sehen. Im Schnellschritt brachte er uns zum Gate. Selim umklammerte seinen Pappbecher. Es ging ihm nicht gut. Bei der

Ankunft am Flughafen Zürich erwartete uns ein Elektromobil mit Fahrer, der uns auf verkürztem Weg durch die Passkontrolle und danach zu den Gepäckbändern brachte. Selim ließ sich nach draußen fahren, während ich unser Gepäck entgegennahm. Mit einem Taxi waren wir bald zu Hause. Im Gepäck hatten wir dieselbe Flasche Whisky – ungeöffnet –, die wir nach Istanbul mitgenommen hatten. Selim genoss in den Folgetagen sein Börek. Aylin verschlang das Pistazienmarzipan. Meine Kleider, die ich damals in Istanbul kaufte, erinnern mich noch heute an unsere letzte gemeinsame Reise.

35.
Abschied

Fünf Tage, nachdem wir zurück waren, begann das islamische Opferfest. Selim ging im lokalen türkischen Supermarkt einkaufen. Er besorgte Lammfleisch, das er in Würfel schnitt und im heißen Öl anbriet. Ich kostete auch davon. Ich erinnere mich noch genau an den Abend, als im Fernseher eine damals neue türkische Serie lief, deren Geschehen wir mit Spannung verfolgten. Deswegen nahmen wir das Essen vor dem Fernseher ein. Es blieb eine der letzten schönen Erinnerungen an unser Zusammenleben. Ich will nicht behaupten, dass es nur schöne gab.

Danach ging es mit Selims Krankheit steil bergab. Ich ging schweren Herzens halbtags arbeiten, musste ihn alleine zurücklassen. Erst schaffte er es nicht mehr bis zur Küche, um sich kaltes Wasser zu holen, welches das Brennen im Magen lindern sollte. Ich fühlte mich zunehmend alleingelassen mit der Situation. Wir hatten zwar einen guten Hausarzt, der bei uns aber keinen Hausbesuch machen konnte, da die Praxis nicht im selben Ort war. Nach unserer Rückkehr schaffte Selim es noch einmal bis zur Hausarztpraxis. Ich begab mich direkt von der Arbeit dorthin. Selim war es dauernd übel. Trotzdem hatte er geduscht und sich rasiert. Noch in diesem Zustand war es ihm wichtig, gepflegt auszusehen. Er erhielt eine Eiseninfusion, die ihn stärken sollte. Er sagte danach zu mir: „Die Infusion hat dieses Mal nichts gebracht."

Als ich tags darauf von der Arbeit nach Hause kam, saß Selim im Dunkeln. Es war kein Licht an und auch der Fernseher lief nicht. Er hatte auf der Fernbedienung eine falsche Taste gedrückt.

Bild und Ton waren verschwunden. Ich richtete es wieder. Selim bat mich, Licht zu machen. Sonst hatte ihm das Licht des Fernsehers stets genügt. Am Abend wollte er einen Film anschauen. Wir schauten zusammen den Film *Der Diktator.* Bevor wir nach Istanbul reisten, hatten wir bei einer Aktion ein paar Blue-Ray-Discs gekauft und zu Hause festgestellt, dass wir sie nicht abspielen konnten. Deswegen besorgte ich danach ein aktuelles Abspielgerät. Selim schaute sich anschließend noch einen anderen Film an.

Er konnte jetzt auch nicht mehr nach draußen auf den Gartensitzplatz, um eine Zigarette zu rauchen. Rauchen ging nicht mehr. Essen ging nicht mehr. Er trank nur noch kaltes Wasser – nicht nur gegen den Durst, sondern auch, um das Feuer im Magen zu löschen. Ich brachte ihm das Wasser glasweise direkt aus dem Kühlschrank. Mittags musste ich ihn verlassen, um zur Arbeit zu gehen. Wenn ich abends nach Hause kam, saß er im Dämmerlicht auf der Couch. Bis zur Toilette waren es ein paar Meter. Das schaffte er gerade noch. Er versank zunehmend in einen Dämmerzustand – auf dem Sofa sitzend. So ging es ein paar Tage.

An einem Vormittag Anfang November rief mich eine Freundin an. Sie wusste, dass Selim krank war und ich nachmittags arbeiten ging. Ich erzählte ihr, wie es um Selim stand. Sie meinte: „Kannst du ihn so noch alleine lassen? Ich an deiner Stelle würde den Notarzt rufen. Vielleicht kann der Arzt ihm eine Infusion stecken, dass er wieder genügend Flüssigkeit hat. Oder er weist ihn in ein Krankenhaus ein." Zuerst meldete ich meinem Arbeitgeber, dass ich später kommen würde. Dann rief ich beim diensthabenden Notarzt an. Der sagte, ich solle direkt den Krankenwagen rufen. Das tat ich. Ich sagte Selim, dass wir im Krankenwagen ins Krankenhaus fahren würden, und packte noch schnell seinen kleinen Koffer. Ich erinnere mich gut, dass er mich bat, die neue Unterwäsche einzupacken, die er kürzlich in Istanbul gekauft hatte. In seinem kritischen Zustand dachte er noch daran. Eine gepflegte Erscheinung war ihm wichtig.

An jenem Tag konnte ich nicht mehr zur Arbeit gehen. Wir wurden von der Ambulanz in das Krankenhaus gefahren, in welchem Selim seine Diagnose erhalten und im Sommer eine

Woche verbracht hatte. Zuerst erhielt er auf der Notfallstation eine Infusion. Er redete ziemlich wirres Zeug, fragte mich, ob ich den Brief bei der Post aufgegeben habe. Ich wusste nicht, von welchem Brief er sprach. Die Infusion wirkte jedoch. Er wurde langsam wieder klar im Kopf. Gegen Abend wurde er auf ein Zimmer verlegt. Aylin war inzwischen auch im Krankenhaus eingetroffen. Selim wurde für eine Untersuchung abgeholt, war es Röntgen oder Ultraschall? Ich weiß es nicht mehr. Aylin und ich gingen währenddessen ins Krankenhaus-Café, um eine Kleinigkeit zu essen. Als wir wiederkamen, war Selim wieder im Krankenzimmer. Aufgebracht fragte er uns, warum wir ihn allein gelassen hatten. Dann erfuhren wir auch schon, warum er so aufgebracht war. Ein Arzt hatte ihm nach der Untersuchung gesagt: „Wir können nichts mehr für Sie tun. Sie sterben."

Ich ging zum Stationsbüro und sagte, ich wolle mit dem Arzt sprechen, der eben meinem Mann den schlechten Bescheid gegeben habe. Warum er mit dem Bescheid nicht habe warten können, bis ich dabei war. Den Arzt bekam ich nicht zu sehen. Eine junge Ärztin kam an seiner Stelle ins Krankenzimmer und wiederholte die Hiobsbotschaft. Ich weiß nicht mehr genau, was gesprochen wurde. Ich weiß nur, dass wir beide – Aylin und ich – fanden, die Nachricht sei sehr gefühllos und unsensibel vermittelt worden. Aylin war richtig wütend auf die Ärztin. Sie sagte später, sie habe die Angst in den Augen ihres Vaters gesehen. Ich erinnere mich an einen Pfleger, der ein paar mitfühlende Worte sagte. Er hatte Selim im Sommer gesehen und war jetzt richtig erschrocken, wie es mit ihm bergab gegangen war. Da Selim in einem Doppelzimmer lag, verabschiedeten Aylin und ich uns um 21 Uhr. Zu Hause angekommen, rief ich Ayshe in Ankara an und sagte ihr, dass ihr Vater in kritischem Zustand im Krankenhaus sei. Ich gab ihr die Telefonnummer weiter, unter welcher Selim im Krankenhaus direkt erreichbar war. Sie möge ihren Bruder und Selims Geschwister informieren, damit sie ihn anrufen konnten.

Mitten in der Nacht klingelte das Telefon. Am anderen Ende war Selims Stimme zu vernehmen. „Komm bitte so bald wie möglich", bat er mich. „Die Schwester sticht mich mit einer Nadel in den Arm. Ich habe ihr gesagt, dass ich das nicht will.“ Es stellte sich heraus, dass die Pflegefachfrau die Infusion neu stecken wollte, was schwierig war – wahrscheinlich, weil Selims Körper ausgetrocknet war. Am nächsten Tag wurde die Infusion entfernt und Selim kam in ein Einzelzimmer. Ich fragte den diensthabenden Stationsarzt, wie lange es dauern würde. Er sagte, genau könne man das nicht sagen. Es könne sich um Tage handeln oder auch um Wochen. Als Folge der Infusion war Selim klar im Kopf. Er konnte die Anrufe von Ayshe, Cem und seinen Geschwistern entgegennehmen. Nur Feride wagte es anscheinend nicht, mit ihm zu sprechen. An ihrer Stelle rief Attila – ihr Mann – an. Ich war an Selims Seite, als er mit Attila sprach. Es gefiel mir gar nicht, als ich hörte, wie Selim zu Attila sagte: „Ich verrecke!“ Dass Selim sich von seinen Brüdern und seinen Kindern hatte verabschieden können, gab mir ein wenig Trost in dieser traurigen Lage.

Am Abend bat mich Selim, über Nacht bei ihm zu bleiben. Aylin wiederum hatte Angst, alleine zu Hause zu sein. Es war Freitagabend. Eine türkische Auszubildende brachte uns Tee. Wir unterhielten uns auf Türkisch. Selim sagte zu mir: „Kannst du nicht ein Taxi bestellen? Dann komme ich mit nach Hause. Wir können am Morgen wiederkommen. Die werden das Zimmer nicht gleich jemand anderem geben, oder?“ Ich sagte zu der Auszubildenden: „Mein Mann träumt davon, nach Hause zu gehen.“ Es war nicht möglich. Er hatte nicht die Kraft, auf die Beine zu kommen. Als ich mich um 22 Uhr verabschiedete, versprach ich Selim, von Samstag bis Montag bei ihm zu bleiben. Ich packte am nächsten Morgen ein kleines Köfferchen und fuhr ins Krankenhaus. Von Samstag- bis Montagvormittag war ich bei Selim. Neben seinem Bett befand sich ein Sessel, der sich zu einer Liege umfunktionieren ließ.

Am Montagmittag ging ich zur Arbeit, um am Abend wieder ins Krankenhaus zu gehen. Spätabends ging ich nach Hause, um durchschlafen zu können. Als ich am nächsten Tag ins Krankenhaus kam, sagte Selim vorwurfsvoll zu mir: „Letzte Nacht bin ich aus dem Bett gefallen. Du hast mich einfach allein gelassen.“ Wieder blieb ich eine Nacht bei Selim. Am Mittwochvormittag rief mich eine Sozialarbeiterin der Krankenhausverwaltung auf dem Mobiltelefon an. Sie sagte, für Selim werde ein Heimplatz gesucht. Sie habe mit einem Pflegeheim in der Nähe unserer Privatadresse Kontakt aufgenommen. Ich müsse mich noch am selben Tag dort melden. Ich sagte ihr, Selim wünsche sich, für die restliche Zeit nach Hause zu kommen. Ich wurde abgekanzelt. Wie ich mir das denn vorstelle? Und ich müsse doch arbeiten gehen. „Da es sich höchstens um Wochen handelt, könnte ich doch bei meinem Mann bleiben", antwortete ich. „Wo denken Sie hin? Da werden Sie Ihren Job schnell los sein", antwortete die Sozialarbeiterin. „Melden Sie sich heute noch im Pflegeheim! Die Leiterin erwartet Sie zu einem Gespräch. Danach müssen Sie einen Termin vereinbaren bei der Gemeinde, um die Finanzierung abzuklären."

Ich rief im Büro an und sagte, dass ich zu einem Gespräch ins Pflegeheim gehen müsse und deswegen später zur Arbeit komme. Während ich weg war, rief die Sozialarbeiterin Selim an. Er war nicht mehr fähig, selber nach dem Hörer zu greifen. Eine anwesende Pflegerin übergab ihm vermutlich den Hörer. Selim war zu diesem Zeitpunkt bereits wieder etwas verwirrt, weil er praktisch keine Flüssigkeit mehr aufnehmen konnte. Er verstand aber scheinbar, dass man ihn in ein Pflegeheim einweisen wollte. Er sei sehr aufgeregt gewesen und habe „Nein, nein" gesagt und „Ich will nach Hause gehen!".

Währenddessen hatte ich das Gespräch mit der Heimleiterin. Sie sagte, sie habe einen Platz für meinen Mann in einem Zweierzimmer reserviert. Sie stellte mir Fragen, wie „Isst Ihr Mann Schweinefleisch?". Mir wurde klar, dass die gute Frau keine Ahnung hatte, in welchem Zustand mein Mann war. „Wasser reicht. Er kann nicht mehr essen; das können Sie sich ersparen", antwortete ich, den aufkommenden Ärger unterdrückend. Vage habe ich noch in Erinnerung, dass es darum ging, wer seine Kleider wasche. Falls das im Heim hätte geschehen sollen, hätten seine Kleider mit Namensschildchen versehen werden müssen. Ich war sprachlos. Mein Mann lag regungslos im Krankenhaus. Ihm fehlte die Kraft, sich überhaupt zu bewegen. Was sollte er mit Kleidern anfangen? Ich fragte mich auch, wie das mit dem Zweierzimmer werden sollte. Im Krankenhaus hatte man ihn in ein Einzelzimmer verlegt, weil er im Sterben lag. Was würde der Heiminsasse sagen, der mit ihm das Zimmer teilen musste? Vielleicht war er ja dement und bekam es nicht mit. Aber was würden dessen Angehörigen zum Zimmerbewohner sagen, der im Sterben lag? Ich verabschiedete mich von der Leiterin des Pflegeheims und fuhr zur Arbeit.

Gegen Abend bekam ich einen Anruf aus dem Krankenhaus. Selim sei sehr unruhig, wurde mir mitgeteilt. Ich eilte ins Krankenhaus. Selim war kaum ansprechbar. Sein Gesicht lag buchstäblich in der Nierenschale, die neben ihn gelegt worden war, falls er erbrechen musste. Ein Wasserglas lag daneben. Er war zu schwach, das Glas zu halten. Ich nahm das Glas und hielt es ihm an die Lippen. Eine Pflegerin kam. Sie reichte mir kleine Schwämmchen an einem Stiel, die ich ins Wasser tauchen und Selim damit den Mund befeuchten konnte. In der Nacht rief Selim immer wieder nach seiner Mutter. Dabei war mir nicht klar, ob er mich für seine Mutter hielt oder ob er sich in einer anderen Zeit wähnte, als seine Mutter noch lebte. Ich beruhigte ihn: „Du wirst deine Mutter bald sehen."

Am Donnerstagabend ging ich nach Hause, um ein paar Sachen zu erledigen, aber auch um wieder einmal durchzuschlafen. Zudem hatte Aylin Angst, weil wir abends anonyme Telefonanrufe erhielten. Der Gedanke, dass Selim in diesem Zustand noch in ein Pflegeheim gebracht werden sollte, machte mich wütend. Ich schrieb der Heimleiterin eine E-Mail, in welcher ich meinen Ärger ausdrückte. Einzig die Gemeindeangestellte, mit der ich über die Finanzierung des Heimaufenthalts hätte sprechen sollen, hatte klug reagiert. Nachdem ich ihr geschildert hatte, wie es um Selim stand, hatte sie gesagt: „Ihr Mann braucht Sie jetzt. Wie es aussieht, braucht er den Heimplatz nur für ein paar Tage oder Wochen. Da brauchen Sie wahrscheinlich keine Hilfe bei der Finanzierung. Wenn doch, können wir das Gespräch zu einem späteren Zeitpunkt nachholen." Die Verlegung ins Heim war für den folgenden Montag geplant.

Am Freitag begab ich mich ins Krankenhaus, um noch bis Montag bei Selim zu bleiben. In der Nacht auf Samstag war er unruhig, rief immer wieder nach seiner Mutter. Am Samstagmorgen ging ich um neun Uhr nach unten ins Café. Am frühen Morgen hatte ich mir aus dem Aufenthaltsraum der Privatpatienten einen Kaffee besorgt. Jetzt wollte ich etwas essen und auf andere Gedanken kommen. Ich nahm mir Zeit. Als ich zurückkam, wurde ich von einer Pflegefachfrau erwartet: „Ihr Mann war sehr unruhig, als Sie nicht da waren", sagte sie. Ich setzte mich an den kleinen Tisch in der Ecke. Ich hatte eben zwei Textmeldungen auf dem Mobiltelefon erhalten, eine von Aylin, die sagte, sie komme später vorbei, und eine von meinem ältesten Bruder. Ich antwortete auf die Meldungen. Dann ging ich zu Selim und richtete ihm Grüße von meinem Bruder aus. Während ich mit ihm sprach, begann er schwer zu atmen. Ich setzte mich wieder an den Tisch.

Plötzlich fiel mir auf, wie still es im Zimmer geworden war. Ich schaute auf und sah Selim ruhig und regungslos liegen. Ich ging zu ihm hin und bemerkte, dass er nicht mehr atmete. Ich hauchte einen Kuss auf seine Wange. Dann setzte ich mich wieder an den Tisch und schrieb Aylin: „Du solltest kommen, um deinen Vater noch einmal zu sehen." Ich war erleichtert, dass Selim nicht mehr leiden musste und dass ihm der Transport ins Pflegeheim erspart geblieben war. Er hätte ebenso gut mitten auf der Fahrt dorthin sterben können. Das schien niemanden zu bekümmern.

Aylin kam, um von ihrem Vater Abschied zu nehmen. Danach packte ich meine und Selims Sachen und verabschiedete mich. Das Leiden hatte ein Ende. Ich rief Ayshe an und teilte ihr mit, dass ihr Vater verstorben war und bei uns begraben werden wolle. Selim hatte seit Jahren immer wieder erwähnt, dass er nach seinem Tod auf keinen Fall in die Türkei zurückgeschickt werden wolle. Dass er bei uns begraben werden wolle, das wisse sie, antwortete Ayshe. Das habe er ihr vor einigen Jahren bereits gesagt. Wir vereinbarten, dass ich sie wieder anrufen würde, sobald ich wusste, wann die Beisetzung stattfand. Es mussten Vorbereitungen getroffen werden.

Am Montagmorgen musste ich als Erstes im Krankenhaus den Totenschein abholen. Danach musste ich zum Bestattungsamt unserer Gemeinde gehen. Der Bestattungstermin wurde auf Mittwoch festgelegt. Eine islamische Gemeinde in unserer Nähe war von der Krankenhausverwaltung kontaktiert worden. Es wurde ein Termin für die Totenwaschung vereinbart, bevor der Leichnam zu unserem Friedhof gebracht wurde. Der Imam der islamischen Gemeinde – die vor allem von Türken besucht wurde – würde die Trauerfeier nach islamischem Ritual abhalten.

Nachdem Tag und Zeitpunkt der Bestattung festgelegt waren, informierte ich Ayshe und meine Geschwister, zudem einen Freund Selims, der Miteigentümer des türkischen Supermarkts in unserem Ort war. Ich ging persönlich hin, um ihn zu fragen, ob er zur Bestattung kommen könne. Tröstend sagte er zu mir: „Menschen sterben. Ich habe mich gefragt, wie es Selim geht, nachdem ich ihn einige Wochen nicht mehr gesehen habe. Die letzten Male, als ich ihn sah, war mir klar, dass er schwer krank war. Aber ich wollte ihn nicht danach fragen." Er sicherte mir zu, an der Bestattung teilzunehmen. Als ich Ayshe den Termin mitteilte, fragte ich auch sie, ob sie komme. Sie könne bei uns wohnen. Nach einigem Hin und Her entschloss sie sich, am Tag der Bestattung – es war ein Mittwoch – anzureisen und ein paar Tage zu bleiben. Von Selims Geschwistern würde niemand kommen. Umso wichtiger schien es mir, dass Ayshe dabei sein würde.

Am Mittwochvormittag holte ich Ayshe vom Flughafen ab. Wir hatten gerade noch Zeit, nach Hause zu fahren, eine Kleinigkeit zu essen und uns bereit zu machen. Die Bestattung war für 14:00 Uhr geplant. Ich war ein wenig nervös, befürchtete zu spät zu kommen, weil Ayshe gerne redete und bei ihr alles eher langsam ging. Deshalb musste ich ein wenig Druck machen. Sie hatte für mich und Aylin ein passendes Kopftuch mitgebracht, da bei der islamischen Trauerzeremonie die Frauen den Kopf bedecken. Seither habe ich einige Bestattungen im Fernsehen gesehen – in türkischen Telenovelas. Bei Selims Bestattung war ich froh, dass Ayshe da war, sodass Aylin und ich nicht ganz ahnungslos dastanden. Als wir zum Friedhof kamen, stellten wir überrascht fest, dass fünf meiner sieben Geschwister mit Partner da waren. Eine Schwester wohnte im Ausland und ein Bruder war zu dieser Zeit beruflich im Ausland. Meine Geschwister standen bei der Zeremonie etwas abseits, weil sie nicht wussten, wie sie sich verhalten mussten. Die Frauen hatten auch keine Kopftücher dabei.

Nach der Trauerfeier begaben wir uns alle für Kaffee und Kuchen in ein Restaurant. Es wurde ein schöner Nachmittag. Ich merkte, dass Ayshe sich ein wenig ausgeschlossen fühlte, weil wir uns auf Schweizerdeutsch unterhielten. Es war wichtig für mich, dass Ayshe da war. Sie wollte noch bis Samstag bleiben. Ich hatte das Bedürfnis, mit jemandem über Selim zu sprechen. Der erste Abend verlief friedlich. Ich überließ Ayshe mein Schlafzimmer und richtete mein Nachtlager auf der Couch im Wohnzimmer ein.

Auch am Donnerstag war noch alles gut. Ayshe schlug vor, Helva zu kochen. Nach türkischem Brauch werden die Trauergäste nach der Bestattung nach Hause eingeladen und mit Helva bewirtet. Aus Mehl, Butter und Zucker stellte Ayshe Helva her, die sehr gut schmeckte. Sie verteilte die Helva portionenweise auf kleinen Tellern, damit ich sie den Nachbarn in unserem Miethaus bringen konnte. Ich weiß nicht, warum sie nicht mitkommen wollte. Während ich hin- und herlief, um Helva zu verteilen, saß Ayshe alleine in der Wohnung. Aylin berichtete mir später, dass Ayshe laut mit sich selber gesprochen habe. Das habe sie mitbekommen, als sie aus ihrem Zimmer kam. Erschrocken habe sie sich wieder in ihr Zimmer begeben; denn es habe sich nicht nach lautem Denken angehört, vielmehr nach Schimpfen in verschiedenen Tonlagen – wie wenn verschiedene Personen gesprochen hätten. Es war mir frühmorgens aufgefallen, dass Ayshe im Schlafzimmer scheinbar aufgeregte Selbstgespräche geführt hatte. Das hatte ich mir damit erklärt, dass Ayshe vielleicht bete.

Ich kam zurück vom Verteilen der Helva und bemerkte nichts Außergewöhnliches. Ayshe fragte, ob wir zusammen ein Restaurant besuchen wollten. Ich schlug vor, die nahe gelegene, von türkischen Kurden betriebene Pizzeria zu besuchen. Selim hatte sich oft mittags von dort eine Pizza liefern lassen. Der Chef des Familienbetriebs kannte Selim. Wir gingen hin. Ayshe outete sich sofort als Landsmännin und Tochter von Selim und bekam gebührend Aufmerksamkeit. Als sie sagte, Selim sei verstorben, antwortete der Inhaber: „Er hat doch erst kürzlich noch eine Pizza bestellt und so wie er aussah, war er erst um die fünfzig." Er wolle uns die Pizzen schenken. Jetzt kam Ayshe in ihr Element. Sie beharrte darauf, zu bezahlen. Beim nächsten Besuch – wann der wohl sein wird? – könne man ja sehen. Davon wollten der Restaurantbetreiber und seine Tochter, die uns das Essen servierte, gar nichts wissen. Ayshe wiederum wollte unbedingt bezahlen.

Es scheint zur Kultur zu gehören, dass man sich regelrecht darum streitet, ob man ein Geschenk annehmen kann oder nicht. An dieser Stelle sei erwähnt: Dieses Restaurant wird von mir nicht mehr besucht. Ich fühlte mich herablassend behandelt, weil ich Europäerin bin, obwohl Ayshe viel stärker geschminkt war als ich und auch etwas aufreizend gekleidet war. Wenn ihr pauschal gegen Europäer seid, warum bleibt ihr dann in unserem Land?

Am Abend bereitete ich Lammkoteletten zu, so wie sie Selim gerne mochte. Nach dem Anbraten hatte er jeweils Tomaten, Kräuter und Knoblauch dazugegeben. Am zweiten Abend gab es Riesenkrevetten. Ich wusste, dass Ayshe alles mochte, was aus dem Meer kam. Morgens und mittags nach dem Essen kochte Ayshe türkischen Kaffee. Wir führten Gespräche, wobei Ayshe viel redete und ich vor allem zuhörte. Ayshe klagte immer und immer wieder über ihren Mann Alain und ihre Eheprobleme. Weder an Weihnachten noch sonst einem wichtigen Fest komme er in die Türkei. Auch die Sommerferien verbringe er nicht mehr mit ihr. Ich wagte vorsichtig zu fragen, ob in diesem Fall eine Scheidung nicht klüger wäre. Sie hätte danach die Möglichkeit, einen anderen Mann kennenzulernen und nicht alleine zu bleiben. Sie reagierte ganz aufgebracht: „Du bist schließlich auch alleine! Es geht dich nichts an, wenn ich alleine bin. Ich lasse mich nicht scheiden."

Ein andermal erwähnte sie, Alain werfe ihr vor, sie, ihr Bruder und ihre Mutter hätten ihn finanziell ausgenommen. „Es war seine Entscheidung, für Miete und Unterhalt deiner Mutter aufzukommen“, antwortete ich. Diese Bemerkung hätte ich mir besser verkniffen. Obwohl: Ihre Mutter war immer berufstätig gewesen, war bei einer guten Kasse versichert, erhielt ihre Rente. Jetzt fing Ayshe an, über mich und ihren Vater, der eben erst verstorben war und anlässlich dessen Bestattung sie gekommen war, zu schimpfen. „Mein Vater hat meiner Mutter keinen Unterhalt bezahlt. Er hat sein Geld mit dir verprasst“, beschuldigte sie mich.

„Von meiner Seite betrachtet sieht das ganz anders aus“, antwortete ich. „Dein Vater hat alles, was er hatte, bei der Scheidung deiner Mutter überlassen, auch das Ferienhaus, in welchem übrigens ein größerer Geldbetrag von mir steckte. Er konnte nichts dafür, dass deine Mutter von einem Betrüger um das Ferienhaus gebracht wurde.“ „Meine Mutter konnte nichts dafür, dass sie das Ferienhaus verlor. Dass du Geld hineingesteckt hast, glaube ich nicht. Das hätte meine Mutter nie zugelassen. Hast du einen Beweis dafür?“, fragte sie aufgebracht. Ganz ruhig antwortete ich: „Deine Eltern hatten damals finanzielle Schwierigkeiten. Sie konnten die Raten für das Ferienhaus nicht weiter aufbringen. Sie waren kurz davor, das Ferienhaus zu verlieren. Ich bot deinem Vater meine Hilfe an. Ich zahlte der Kooperative größere Beträge. Natürlich erwartete ich zu diesem Zeitpunkt, mein Geld später zurückzuerhalten.“

Ich ging in mein Zimmer und holte den Umschlag, in dem die damals von Selim unterzeichnete Schuldvereinbarung lag. „Das ist überhaupt kein Beweis. Ich glaube dir nicht“, rief Ayshe, als ich ihr das Dokument zeigte. „Es ist unerhört, dass du so etwas behauptest.“ „Ich habe deinem Vater damals auch das Schulgeld für dein zweites Semester an der Bilkent-Universität geliehen. Das hat er mir später zurückbezahlt. Ich musste mich aber damals fragen, warum die Tochter eines Fahrers eine Privatuniversität besucht“, fuhr ich fort. Ayshe fuhr hoch wie von der Tarantel gestochen: „Die Tochter eines Fahrers kann ebenso gut eine Privatuniversität besuchen wie eine öffentliche. Ich reise ab!“ „Deswegen musst du doch nicht gleich abreisen“, versuchte ich zu beschwichtigen. „Du willst doch nicht abends um diese Zeit zum Flughafen gehen und die Nacht dort verbringen.“ „Diese

Nacht bleibe ich noch“, gab Ayshe nach. Ich dachte, sie würde sich beruhigen, hörte aber die ganze Nacht hindurch ihre aufgebrachten Selbstgespräche.

Am nächsten Tag dachte ich, Ayshe hätte sich beruhigt. Sie kochte türkischen Kaffee und wir frühstückten. Danach bat sie mich, unseren Computer benutzen zu dürfen, damit sie ihren Flug umbuchen konnte. „Alain hat vorausgesehen, dass ich Streit mit dir haben werde“, sagte sie mit Nachdruck. „Eigentlich wollte ich nur eine Nacht bleiben und am nächsten Tag gleich wieder nach Ankara reisen. Alain hat mir absichtlich einen Rückflug erst für Samstag gebucht; damit er sich freuen kann, wenn wir uns streiten.“ Sie machte sich am Computer zu schaffen, stornierte ihren Flug und merkte, dass sie nicht in der Lage war, einen neuen zu buchen. Ich riet ihr, Alain anzurufen, damit er ihren Rückflug organisieren konnte. Ich gab ihr mein Festnetztelefon und ging aus dem Raum.

Als ich zurückkam, hörte ich sie mit aufgebrachter Stimme über mich schimpfen. Sie sprach dabei Türkisch. Also sprach sie mit Sicherheit nicht mit Alain. Aus dem Hörer war eine ebenfalls aufgebrachte Frauenstimme zu hören. Die Stimme gehörte Selims Schwester Feride. Mit ruhiger Stimme sagte ich: „Ich finde es nicht schön, dass du in meiner Wohnung mit meinem Telefon so schlecht über mich sprichst. Das macht man einfach nicht.“ Ayshe lachte höhnisch und äffte mich nach. Ich hätte ihr den Hörer entreißen und den Anruf beenden können. Aber ich wollte die Klügere von uns beiden sein. Also ließ ich sie weiter über mich lästern.

Alain buchte Ayshes Rückflug für denselben Abend. Ayshe packte ihre Sachen und wollte nichts wie weg. Ich sagte ihr, sie sei viel zu früh dran. „Wir können uns doch aussprechen. Konflikte gehören zum Leben.“ Ich erinnere mich, dass ich zu ihr sagte: „Das Leben ist nicht schwarz-weiß. Es gibt viele Töne dazwischen.“ Sie beharrte darauf, ich solle ihr ein Taxi zum Flughafen bestellen. Bis zum Abflug waren es mindestens noch sechs Stunden. Wir hätten gemütlich die S-Bahn nehmen können, die direkt zum Flughafen fährt, was eine halbe Stunde gedauert hätte und viel billiger gewesen wäre. Aber sie wollte unbedingt mit dem Taxi fahren. Ich bestellte ein Taxi und ging mit ihr hinaus, um mich zu verabschieden. Der Taxi-Fahrer verstaute ihren Koffer. Ich fragte ihn, was es bis zum Flughafen kostete. Er antwortete: „Zwischen 40 und 50 Franken." Ich gab ihm 60. „Da, nehmen Sie es. Das Trinkgeld ist inbegriffen." Ayshe wollte nicht, dass ich bezahlte. Sie fragte den Fahrer, ob er Kreditkarten akzeptiere. Der steckte mein Geld ein und winkte ab. Danach hörte ich lange, lange nichts mehr von Ayshe.

Seit ein paar Jahren hatte ich nichts mehr von Emine, Selims Schwägerin – Frau seines älteren, vor ein paar Jahren an Krebs verstorbenen Bruders Erhan –, gehört. Vor ungefähr vier Jahren hatte sie einmal angerufen und nach Aylin gefragt. Ich hatte sie in guter Erinnerung, stets nett mit einem lieben Lächeln in ihrem pausbäckigen Gesicht. Ich sehnte mich danach, mit ihr zu sprechen. Selim hatte die Telefonnummern seiner Geschwister auf separaten Zetteln notiert. Ich suchte nach dem Zettel, auf welchem der Name Erhan stand. Ich freute mich, als ich die Telefonnummer fand, setzte mich aufs Sofa und stellte die Nummer ein. Es meldete sich eine Frauenstimme am anderen Ende der Leitung. „Merhaba, bist du es Emine? Hier spricht Lena. Kannst du dich an mich erinnern?", fragte ich. „Nein, ich kenne dich nicht", antwortete die Frauenstimme am anderen Ende der Leitung. „Ich bin Lena", rief ich etwas lauter in den Hörer. „Tut mir leid, ich kenne dich nicht", antwortete die Frauenstimme.

Nachdem sie aufgelegt hatte, überprüfte ich die Nummer. Hatte ich mich verwählt. Nein, das hatte ich nicht. Ich saß lange reglos auf dem Sofa. Aylin kam in den Raum. „Was hast du?", fragte sie besorgt. Ich erzählte ihr von meinem Versuch, Emine zu sprechen. „Entweder ist sie dement geworden oder sie will nicht mit mir sprechen." „Brauchst du den Kontakt zur Verwandtschaft meines Vaters? Was bringt dir das? Wenn sie nicht wollen, sollen sie es eben sein lassen. Wir leben hier weiter", konstatierte Aylin. Sie hatte recht.

Bereits am Tag, als Ayshe zurück nach Ankara reiste, ging ich wieder ins Büro. Das Leben ging weiter, musste weitergehen. Aber die vergangenen Wochen holten mich ein. Wenn ich arbeitete, konnte ich die Erinnerungen an den kranken Selim verdrängen. Zweimal kamen Anrufe für Selim auf dem Mobiltelefon. Ich ließ sie unbeantwortet. Oberst Meyer versuchte Selim zu erreichen. Unter Tränen schrieb ich ihm, dass Selim verstorben war. Daraufhin schrieb er in einem Brief, dass er Selim nie vergessen werde, dass dieser ein Teil seines Lebens sei.

In der Freizeit, die ich mehrheitlich alleine verbrachte, schaute ich mir oft türkische Soaps an. Dabei konnte ich plötzlich in einen Weinkrampf ausbrechen. So verging ein Jahr. Ein Jahr nach Selims Tod erkrankte ich schwer. Monatelang war ich arbeitsunfähig und konnte nachdenken. Ich erkannte, wie allein ich mit der Trauer gewesen war und sie nicht richtig hatte verarbeiten können. Obwohl zwischen Selim und mir die Scheidung ein paarmal Thema gewesen war, lebten wir mehr als einundzwanzig Jahre zusammen. Ich war die letzten Monate seines Lebens an seiner Seite. Ich hatte Selim schon lange nicht mehr so glücklich gesehen, wie er im letzten Sommer seines Lebens war. Ich arbeitete halbtags, hatte mehr Zeit für ihn. Zudem trank er keinen Alkohol mehr. Ja, wir verbrachten am Schluss noch ein paar glückliche Monate miteinander. Ich hatte und habe durchaus das Recht, um ihn zu trauern.

Ich habe inzwischen meine Krankheit überwunden und fühle mich gut. Ich habe erkannt, dass ich nicht dafür verantwortlich bin, wie Selims Leben verlaufen ist. Jeder ist für sein eigenes Leben verantwortlich. Mit unseren Entscheidungen lenken wir das Leben. Weder können wir von einer anderen Person erwarten, dass sie uns glücklich macht, noch sind wir für das Glück anderer verantwortlich.

Die Autorin

Geboren wurde Lena Vivien 1959 in Luzern als fünftes von acht Geschwistern. In einfachen Verhältnissen aufgewachsen, musste sie früh für ihren Lebensunterhalt selbst aufkommen. Nach einer kaufmännischen Lehre und Sprachaufenthalten in England und Frankreich arbeitete sie als Sekretärin in Genf und in Zürich. Mit 27 Jahren nahm sie eine Stelle beim Außendepartement an, welches sie nach Stockholm und Ankara entsandte. In der Türkei blieb sie insgesamt achteinhalb Jahre, wovon knapp zwei Jahre für das Außendepartement in Ankara. Die restliche Zeit lebte sie mit ihrem türkischen Ehemann in Istanbul. Sie bekamen eine Tochter. Als diese drei Jahre alt war, zog die Familie in die Schweiz. Die Autorin lebt mit ihrer Tochter in einem Vorort von Zürich.